Sobreviventes enlutados por suicídio

CIP-BRASIL. CATALOGAÇÃO NA PUBLICAÇÃO
SINDICATO NACIONAL DOS EDITORES DE LIVROS, RJ

F972s

Fukumitsu, Karina Okajima
    Sobreviventes enlutados por suicídio : cuidados e intervenções / Karina Okajima Fukumitsu. - 1. ed. - São Paulo : Summus, 2019.
    120 p.

    Inclui bibliografia
    ISBN 978-85-323-1136-8

    1. Suicídio - Aspectos psicológicos. 2. Psicologia social. 3. Suicídio - Prevenção. I. Título.

19-57802
                                                CDD: 364.1522
                                                CDU: 316.6

Leandra Felix da Cruz – Bibliotecária – CRB-7/6135

www.summus.com.br

Compre em lugar de fotocopiar.
Cada real que você dá por um livro recompensa seus autores
e os convida a produzir mais sobre o tema;
incentiva seus editores a encomendar, traduzir e publicar
outras obras sobre o assunto;
e paga aos livreiros por estocar e levar até você livros
para a sua informação e o seu entretenimento.
Cada real que você dá pela fotocópia não autorizada de um livro
financia o crime
e ajuda a matar a produção intelectual de seu país.

Sobreviventes enlutados por suicídio

CUIDADOS E INTERVENÇÕES

KARINA OKAJIMA FUKUMITSU

SOBREVIVENTES ENLUTADOS POR SUICÍDIO
Cuidados e intervenções
Copyright © 2019 by Karina Okajima Fukumitsu
Direitos desta edição reservados por Summus Editorial

Editora executiva: **Soraia Bini Cury**
Assistente editorial: **Michelle Campos**
Capa: **Alberto Mateus**
Projeto gráfico e diagramação: **Crayon Editorial**

3ª reimpressão, 2023

Summus Editorial
Departamento editorial
Rua Itapicuru, 613 – 7º andar
05006-000 – São Paulo – SP
Fone: (11) 3872-3322
http://www.summus.com.br
e-mail:summus@summus.com.br

Atendimento ao consumidor
Summus Editorial
Fone: (11) 3865-9890

Vendas por atacado
Fone: (11) 3873-8638
e-mail: vendas@summus.com.br

Impresso no Brasil

Sumário

PREFÁCIO 7

INTRODUÇÃO 9

1 POSVENÇÃO: EXTRAINDO FLOR DE PEDRAS
DOS ENLUTADOS POR SUICÍDIO 15

2 O IMPACTO DO SUICÍDIO: MARCAS, MUDANÇAS
E A BUSCA DE EXPLICAÇÕES 35

3 A TRAJETÓRIA NA "MONTANHA-RUSSA" 49

4 DIFICULDADES DOS ENLUTADOS: CAMINHOS PARA O CUIDADO 59

5 CUIDADOS E PROPOSTAS INTERVENTIVAS PARA
PREVENÇÃO AO SUICÍDIO E POSVENÇÃO NO BRASIL 67

6 POR UMA POLÍTICA PÚBLICA PARA ENLUTADOS:
DE IMPOTÊNCIA INDIVIDUAL A POTÊNCIA COLETIVA 89

CONSIDERAÇÕES FINAIS 101

REFERÊNCIAS 107

**ANEXO A – DISCIPLINA PARA PÓS-GRADUAÇÃO –
UNIVERSIDADE DE SÃO PAULO** 113

ANEXO B – MODELO DE CONVITE E DIVULGAÇÃO 117

Prefácio

O SUICÍDIO AINDA SE configura como tema tabu, carregado de estigma. Há um aumento da comunicação sobre o assunto, mas ainda de forma restrita e cautelosa, com um resquício de crenças por muito tempo arraigadas de que falar sobre isso pode estimular ideias suicidas em quem pensa em se matar.

As campanhas de prevenção ao suicídio se multiplicam, tendo como principal difusor o Setembro Amarelo. Porém, o número de tentativas e mortes por suicídio aumenta a cada dia, atingindo todas as idades e diversos níveis socioeconômicos e educacionais. Uma democracia cruel.

Como sabemos, o suicídio não tem causa única. Ele é resultante de um conjunto de fatores e de uma intencionalidade pessoal. Para pessoas com ideações ou tentativas suicidas, o sofrimento, o desespero e o sentimento de não pertença podem ser experienciados de forma tão intensa que nenhuma outra possibilidade se configura, sendo a morte a melhor solução naquele momento.

O objetivo dessas palavras não é acusar a pessoa pelo seu suicídio, mas aperfeiçoar a escuta, o acolhimento e os cuidados daqueles cujo sofrimento é intolerável. Sendo assim, os estudos e práticas sobre suicídio precisam ser mais bem estruturados nas instituições de saúde públicas e privadas de nosso país.

O suicídio atinge profundamente diversas pessoas, sendo o maior impacto sentido por familiares, pessoas amadas, amigos e aqueles que têm um vínculo próximo com quem tirou a própria vida. O acolhimento e o cuidado das pessoas impactadas por esse acontecimento são tarefas da posvenção, termo ainda pouco conhecido em nosso meio, que implica minimizar, na medida do possível, esse sofrimento.

Nessa perspectiva, o trabalho de Karina Okajima Fukumitsu tem grande importância. A autora é hoje um dos nomes mais conhecidos no Brasil nos estudos e na formação de profissionais na área do suicídio.

O livro *Sobreviventes enlutados por suicídio* é o resultado de sua pesquisa de pós-doutorado. Atualizada com informações, dados e estatísticas, a obra conclama a importância dos programas de prevenção e posvenção, além dos cuidados daqueles afetados pelo impacto do suicídio. A autora dialoga com autores de referência na área, trazendo a fundamentação teórica que tece o pano de fundo para o desenvolvimento de políticas de apoio aos sobreviventes do luto pelo suicídio, destacando as especificidades desse processo.

Tal especificidade fica destacada nos depoimentos dos colaboradores da obra, que perderam pessoas por suicídio e nos fazem mergulhar na intensidade de seu sofrimento. Karina descreve as principais necessidades dos enlutados, trazendo orientações essenciais para familiares e profissionais. Assim, reúne um material importante na formação de pessoas capacitadas no cuidado aos afetados pelo suicídio. Finalmente, traz propostas interventivas para prevenção e posvenção do suicídio, o que confirma a relevância social deste livro.

Finalizo este prefácio afirmando que se trata de obra que atualiza e aprofunda reflexões sobre um tema tão complexo. Ganho um grande presente como docente e orientadora, sentindo-me premiada ao ver minha pupila tornar-se uma grande mestra.

MARIA JULIA KOVÁCS

Introdução

Segundo a Organização das Nações Unidas (2018), "a cada 40 segundos, uma pessoa [se] suicida no planeta. [...]. Por ano, quase 800 mil pessoas em todo o mundo cometem suicídio, que é a segunda maior causa de morte entre pessoas de 15 a 29 anos de idade".

Os dados epidemiológicos comprovam que o suicídio exige atenção das políticas públicas. Nesse sentido, gostaria de apresentar as bases que compõem este livro.

Em 2009, participei do processo seletivo do doutorado com o projeto "O processo de luto do filho da pessoa que cometeu suicídio". Fui aceita pelo Programa de Pós-Graduação em Psicologia Escolar e Desenvolvimento Humano da Universidade de São Paulo, tendo sido orientada pela professora doutora Maria Julia Kovács. Dando continuidade à minha tese – defendida em 7 de maio de 2013 –, ampliei-a, no que se refere tanto à prevenção do suicídio quanto à sua posvenção, e iniciei o pós-doutorado (bolsa PNPD/Capes). Assim, esta obra baseia-se num estudo desenvolvido entre 2009 e 2018.

Durante o período do pós-doutoramento, foi realizada a intervenção psicoeducativa da disciplina intitulada "Suicídio: prevenção e luto", uma das tarefas exigidas para a conclusão do curso. Houve um interesse significativo na disciplina, tanto de alunos regularmente inscritos em programas de pós-graduação quanto de profissionais. Tal disciplina teve seus princípios técnicos, éticos e acadêmicos submetidos, examinados e aprovados pelo Programa de Pós-Graduação em Psicologia Escolar e Desenvolvimento Humano do Instituto de Psicologia da USP. Seus objetivos foram:

1. refletir sobre o fenômeno do suicídio, o comportamento suicida, o manejo do suicídio, a prevenção e o luto pelo suicídio;
2. sensibilizar-se para compreender os comportamentos autodestrutivos e suas implicações;
3. conhecer possibilidades para a ação psicológica em relação a pessoas que apresentam comportamento suicida e em luto pela morte por suicídio.

O curso foi oferecido por mim e por Maria Julia Kovács em 12 aulas e seu conteúdo programático e forma de avaliação, bem como as bibliografias básica e complementar, constam no plano de ensino que se encontra no Anexo A deste livro (p. 113).

A disciplina pode ser vista como uma das maneiras de "educar a ação" (educação) diante da carência brasileira em relação a ações preventivas, sendo uma delas o incentivo para que cursos e disciplinas em relação a suicídio, manejo do comportamento suicida, acolhimento ao luto por suicídio e valorização da vida façam parte da grade curricular direcionada para a formação de profissionais de saúde. Saliente-se que, até o ano de 2015, não existiam disciplinas similares em outros programas de pós-graduação. A seguir, um resumo de cada um dos itens do curso que foi ministrado:

1. Propusemos aliança com o compromisso da prevenção ao suicídio, que acontece mundialmente, sobretudo no mês de setembro (Setembro Amarelo), a partir da ampla discussão sobre a compreensão do suicídio como uma morte que envolve vários fatores, como questões biológicas, afetivas, socioemocionais, históricas, espirituais e culturais.
2. Congruentemente com a proposta da OMS (2000, p. 4), que aponta que capacitar a equipe de atenção à saúde "para

identificar, abordar, manejar e encaminhar um suicida na comunidade é um passo importante na prevenção do suicídio", aprimoramos meios de oferta de informações sobre o suicídio e sua prevenção, apresentando sinais de risco e de alerta e fatores de proteção.
3. Incentivamos o fortalecimento de construtos teóricos que tenham integração com a práxis do manejo do comportamento suicida e da posvenção. Dessa maneira, consideramos de suma importância estimular a ampliação de intervenções e de pesquisas na área da suicidologia.
4. Proporcionamos um espaço psicoeducativo com fins de minimizar o tabu por meio da oferta de informações e discussão sobre a temática. Nesse aspecto, dialogamos sobre a "linguagem" do suicídio, sugerindo uma proposta de comunicação que reduza alguns preconceitos – por exemplo, não chamar a pessoa que se matou de "suicida", nem utilizar o verbo "cometer", pois ele está relacionado com situações de crime ou pecado.
5. Defendemos que os institutos de ensino superior deveriam empenhar esforços na criação de disciplinas que analisassem processos autodestrutivos, tentativas de suicídio e suicídios.
6. Aprofundamos a compreensão do luto por suicídio; mais especificamente, propusemos que este é diferente do luto por outras causas de morte e enfatizamos a necessidade do trabalho com familiares enlutados.
7. Tecemos considerações sobre o fato de o suicídio envolver várias questões bioéticas, apontando que qualquer explicação simplista pode levar a erros.
8. Compreendemos a inter-relação entre suicídio e as fases do desenvolvimento.
9. Discutimos também questões relativas às políticas públicas sobre suicídio.

Este livro é importante para compor uma bibliografia brasileira sobre o tema da prevenção ao suicídio e da posvenção, além de celebrar a conclusão do meu pós-doutorado, cujo percurso teve uma interrupção que se revelou a fase mais apocalíptica da minha vida: no ano de 2014, fui acometida por uma inflamação cerebral denominada Acute Disseminated Encephalomyelitis (Adem). Perdi parcialmente os movimentos e a memória. Como afirmo no livro *A vida não é do jeito que a gente quer* (Fukumitsu, 2015, p. 17-18),

> tudo se transformou em um mundo obscuro, terrível e apavorante. Percorri o limbo existencial e esse percurso amedrontou minha alma. A força emocional foi abalada; quando acreditava que uma "onda" havia passado, eis que outra aparecia com mais violência. Percorri o inferno e o céu e vice-versa e sempre os dois lugares se apresentaram de maneira totalmente desconhecida. Tanto a insegurança como o medo passaram a ser os sentimentos mais frequentes no dia a dia. Em vez de "matar um leão a cada dia", passei a ter de lidar com um leão a cada momento.

Acredito que os sobreviventes enlutados por suicídio enfrentam também seus tsunamis existenciais quando uma pessoa amada se mata. Sendo assim, recebi um bônus de tempo para propagar a ideia de que sempre é possível acreditar que a partir do suicídio de uma pessoa amada é possível se restaurar. Assim como eu, que vivi uma situação de extrema impotência, diversos sobreviventes enlutados por suicídios também a vivem. Assim como suportei e superei a fase caótica, os enlutados pelos suicídios suportarão e superarão o caos.

Como psicoterapeuta e educadora, tenho acompanhado o apavorante percurso dos enlutados por suicídio. Lançados no puro desconhecimento e em "um mundo obscuro, terrível e apavorante", eles percorrem o "limbo existencial". Preenchidos por dúvidas e ceticismo a respeito da sua capacidade de superação, levam visceralmente a vida se fragmentando por uma situação que não pediram para vivenciar, mas provam empiricamente que, apesar de terem de lidar "com um leão a cada momento", podem se resgatar e se tornar *seres viventes*, deixando de ser *sobreviventes*.

Esta obra apresenta propostas de posvenção, mais especificamente para cuidados e intervenções no cotidiano daqueles em processo de luto pelo suicídio, bem como sugere intervenções, formas de apoio, suporte emocional e acolhimento do sofrimento provocado pelo suicídio de pessoas amadas. Assim, objetiva motivar o desenvolvimento de políticas públicas, bem como instrumentalizar e auxiliar os profissionais de saúde no manejo pós-suicídio e na compreensão desse processo de luto – incluindo atenção especial aos sobreviventes enlutados.

No intuito de que o leitor possa ampliar e se aprofundar em seus estudos sobre o tema, agradeço o interesse pela obra!

Karina Okajima Fukumitsu

1. Posvenção: extraindo flor de pedras dos enlutados por suicídio

NA INTRODUÇÃO, ALERTEI SOBRE a carência de espaços de acolhimento ao sofrimento e propus que a posvenção seja tratada com mais atenção no Brasil. Em outras palavras, para que "[...] sobreviventes tenham direito a um lugar onde sejam acolhidos, ouvidos, respeitados em sua dor e forma de enfrentamento singular" (Fukumitsu, 2013a, p. 223). Acredito, portanto, que a atenção a propostas de políticas públicas deva ser retomada também no que se refere ao luto por suicídio, problema central deste livro. Botega (2015, p. 234) assinala:

> Programas de posvenção são raros. Dos 52 países-membros da Associação Internacional de Prevenção do Suicídio (Iasp – International Association for Suicide Prevention), apenas 14 constam com serviços designados a pessoas enlutadas pelo suicídio. Esses serviços encontram-se disponíveis principalmente nos Estados Unidos, no Canadá e em alguns países da Europa.

Entendo que o acolhimento, zelo e respeito ao sofrimento do enlutado devem ser as preocupações primordiais. Essa mesma preocupação deveria ser estendida às pessoas que tentam suicídio e são maltratadas nos hospitais para onde são encaminhadas, por uma compreensão errônea de que cabe aos profissionais de saúde "salvar" vidas. Observam-se, nesse caso, o despreparo de muitos profissionais e a falta de respeito, de acolhimento, de cuidado e de empatia.

Cassorla (1991a, p. 9) afirma que

a pessoa que pensa em suicídio ou tenta se matar está, evidentemente, sofrendo. Quando ela não encontra formas de diminuir ou compreender esse sofrimento, que se torna insuportável, o suicídio parece ser a única saída.

O pensamento condutor deste livro se embasa nos ensinamentos de Shneidman (1972, 1973, 1985, 1993, 1996, 2001, 2008) e no aprofundamento do termo proposto pelo autor no livro *Deaths of man* (1973): posvenção (*postvention*), que ainda é pouco utilizado em nosso meio. Aqui, utilizo a palavra posvenção a fim de torná-la mais conhecida em nosso país e para que se preconize o incentivo da psicoeducação para a prevenção do suicídio como ponto crucial para a ampliação dos serviços e o acolhimento do sofrimento decorrente do processo de luto por suicídio.

Pai da suicidologia moderna, Shneidman contribuiu de maneira ímpar com o tema, por sua genialidade e vasta produção sobre comportamento suicida, intervenções, manejo da crise suicida e propostas de atividades que ocorrem após o suicídio com o intuito de minimizar o impacto das consequências da morte autoinfligida. Segundo o autor, *postvention* é uma intervenção que se realiza para designar "toda e qualquer atividade passível de ser realizada depois do incidente trágico" (Shneidman, 2008, p. 23, tradução nossa).

A posvenção é efetivada por meio de uma série de intervenções planejadas e destinadas a minimizar os impactos decorrentes do suicídio de uma pessoa amada. Suas ações envolvem acolhimento ao processo de luto, reequilíbrio do sistema familiar, escolar ou institucional e redução de comportamentos autodestrutivos e de risco de novos suicídios.

Toda intervenção da posvenção deve se adequar às necessidades específicas do local a ser desenvolvido. No âmbito da saúde, as ações são direcionadas à promoção da saúde e do bem-estar. Sendo assim, as ações beneficiam amparo, assistência e acolhimento ao luto, envolvendo, sobretudo, os cuidados psicológicos, psiquiátricos e físicos e o trabalho psicoeducativo para apresentar sinais de alerta, fatores de proteção e modalidades de enfrentamento às adversidades. Já em ambientes escolares, as propostas envolvem atividades para intervenção em crise, ações de valorização da vida e de desenvolvimento psicossocioemocional, ampliação de maneiras de enfrentamento aos obstáculos e ao luto por suicídio e encaminhamentos de apoio psicológico e psiquiátrico para pessoas em vulnerabilidade.

Minha primeira experiência de posvenção foi realizada em 2012, na universidade onde lecionei, quando um aluno se matou. Além de esse aluno ter sido uma querida pessoa com quem tive o privilégio da convivência, pois era voluntário de todos os eventos que organizava para ajudar crianças com câncer, era um ser humano muito sensível e sempre dizia que "não via a hora de ter aula comigo, pois se interessava muito pela fenomenologia e por abordagens humanistas e existencialistas".

Em choque e com muita tristeza, recebi a notícia de forma repentina, pois ele se matou em um domingo que antecedia o início do ano letivo.

Como eu ministrava a disciplina que aconteceria no último dia da semana – portanto, entraria na sexta-feira para me apresentar e falar sobre o plano de ensino –, imaginei que tanto a coordenação do curso de Psicologia quanto algum de meus colegas de docência realizariam na segunda-feira ações de acolhimento com o corpo discente. No entanto, para minha surpresa, nada foi dito, tampouco feito.

Ao adentrar na sala, a primeira pergunta que fiz foi: "Como vocês estão retomando a vida neste início de ano, apesar do impacto da morte do seu amigo por suicídio?" Os alunos me olharam perplexos, com suas canetas a postos para anotar mais um plano de ensino, e disseram: "Sério, professora? Você está querendo saber como estamos nos sentindo? Você é a primeira professora que se preocupou com nosso estado nessa fase complicada".

Respondi: "Mas eu sou a última professora do cronograma a entrar. Ninguém perguntou a vocês como estão ou como se sentiram com essa situação difícil de ter um amigo que suicidou? Paremos imediatamente com tudo que estamos fazendo. Enviarei por e-mail o plano de ensino e prefiro utilizar o tempo de aula para conversarmos sobre o impacto de serem amigos de uma pessoa que se matou. A única coisa que precisamos fazer neste exato momento é acolher vocês. Peço que façam um círculo, que peguemos lenços de papel para conversarmos sobre como tem sido a experiência de vocês".

Acolhi-os para que cuidassem dos sentimentos e pensamentos confusos que se instalaram a partir do momento em que o suicídio do amigo passou a fazer parte do cotidiano deles. Os alunos disseram que a roda de conversa foi uma das atitudes mais generosas que receberam.

A fala dos estudantes me fez relembrar de uma atitude também generosa de um dos meus professores da graduação em Psicologia, Anderson Zenidarci, em um momento de muita dor para mim e para minha família – a morte de meu sobrinho, de 3 anos de idade, que morreu afogado em 1991. Anderson foi o responsável por reunir meus colegas de graduação, dizendo que seria importante que todos fossem ao velório para me dar um abraço. Comprou um copo de água, aproximou-se de mim enquanto rumava para o enterro e disse: "Karina, você não está sozinha. Você tem meu apoio e o de todos os seus colegas de sala. Todos estamos aqui por você neste momento".

Assim, o acolhimento que ofertei aos meus alunos talvez tenha sido fruto do que Anderson me ofereceu anos atrás. Ofereci o que recebi de melhor na tratativa do sofrimento causado pela morte de um ente querido. Nesse sentido, penso que o luto por suicídio é um processo que exige acolhimento para que resgatemos a fé, tal como Tavares (2018, p. 241) ensina: "O termo 'trauma' vem do grego e significa 'ferida'. Fé (r) ida – perder a fé, a esperança diante da dor".
E como transformar sofrimento em esperança?

SOBRE O PROCESSO DE EXTRAIR FLOR DE PEDRAS

Fox e Roldan (2009, p. 22, tradução nossa) afirmam: "Um dia, o nosso mundo inteiro muda e não somos mais os mesmos". Neste estudo, perguntei-me várias vezes: "Como cuidar daqueles cujo cotidiano foi interrompido por uma dor insuportável?"

Acredito que, pelo processo de extrair flor de pedras, é possível cuidar e intervir em um contexto de intenso sofrimento para minimizar os impactos de uma morte violenta.

O termo foi criado para ilustrar que, apesar de constatarmos que nosso solo existencial está "árido" e aparentemente inerte, devemos preservá-lo para que um dia a vida possa nos surpreender com a beleza de uma flor que nascerá. Assim, percebo similaridades entre ele e o processo de luto, sobretudo porque extrair flor de pedras acontece quando

> [...] ressignificamos tudo o que acontece conosco. Extrair flor de pedras foi o termo que criei para designar o que pessoas podem ofertar para si e para o mundo, apesar de se sentirem "demolidas e fragmentadas existencialmente. (Fukumitsu, 2015, p. 213)

Resgatar a esperança é crer que, embora o luto não cesse, ele será transformado em lembranças e em saudades. Aquele que extrai flor de pedras segue "amando além da dor", como citou Zélia, mãe sobrevivente do suicídio do filho: "Uma frase que a minha filha mais velha pediu para que o padre dissesse: "Que a gente siga amando além da dor". Essa frase deu uma leveza para a minha vida e me ajudou a resgatar um pouco a fé e a esperança".

Quem sofre pelo suicídio de um ente querido vive o caos no qual se vê obrigado a lidar com uma nova configuração. Extrair flor de pedras significa transformar caos em reorganização e encontrar uma nova maneira de se relacionar com quem morreu. Nas palavras de Clark (2007, p. 85), "o processo de luto não significa um afastamento da pessoa que morreu, mas sim um novo relacionamento com ela, em termos do sentido que ela terá para você".

Uma característica de quem extrai flor de pedras é que ela aprende que deve acolher todos os sentimentos e, por isso, deverá legitimar momentos em que sente vontade de chorar; falar; sentir tristeza, culpa, raiva, revolta e indignação pela condição de sofrimento. Sobretudo, terá de atravessar o lugar da impotência, solo fragmentado e árido, difícil de caminhar.

Alguns depoentes relataram que a revolta bateu à porta quando se perceberam esfacelados pela morte por suicídio. Faz parte do processo de extrair flor de pedras ter de abrir a porta para todos os sentimentos, inclusive os que consideramos mais inóspitos. No entanto, é preciso cuidar para que tais sentimentos não se tornem hospedeiros permanentes, que costumam sugar as energias.

O sofrimento precipitou a dor, mas a própria dor se transforma quando cicatriza. Como diz Rôshi Shundô Aoyama (2013, p. 29), o lema "'quando a lama é muita, o Buda também se torna grande' nos diz que toda a lama de tristeza e sofrimento da nossa vida deve ser absorvida e transformada por nós para que a belíssima flor de lótus possa surgir".

Muitos dos entrevistados neste livro ressignificaram sua percepção a respeito do suicídio de seus entes queridos, buscaram modificações ou transformações e levaram a vida adiante apesar das dificuldades. Quem extrai flor de pedras continua a viver e busca o resgate do que ficou vivo em si do outro que se matou. E, apesar de a lida não ser tarefa fácil, acredita que tudo passará. A ferida em carne viva que outrora provocava dor lancinante tornar-se-á a cicatriz que comprova ser possível continuar vivo apesar da morte de uma pessoa amada. Por um tempo ilimitado, tornar-se-á um sobrevivente.

SOBRE OS TERMOS "SOBREVIVENTES" E "SOBREVIVÊNCIA"

Nos Estados Unidos, o termo *survivor* foi cunhado por Edwin Shneidman (1972) e indica todo indivíduo que experiencia o luto por suicídio. Jordan e McIntosh (2011, p. 7, tradução nossa) definem o sobrevivente como "[...] alguém que vive a experiência de um alto nível de autopercepção psicológica, física e/ou desamparo social por um tempo considerável após o suicídio de outra pessoa". Smith (2013, p. 19-21) discute os termos "sobrevivente de suicídio" (*suicide survivor*) e "enlutado por suicídio" (*suicide griever*), preferindo "[...] não tecer considerações sobre a maneira como será categorizado", por sentir que nenhuma das duas expressões traduz o processo de luto. O autor propõe o termo "veteranos do suicídio" (*suicide veterans*) e argumenta que se trata de "[...] um título de honra, indicando que a pessoa resistiu a uma experiência difícil, que continua impactando sua vida" (p. 22). Neste livro, optei por não utilizá-lo por considerar impróprio designar um título de honra a quem viveu a perda por suicídio de um ser amado.

Os enlutados não sofrem apenas pelo suicídio de seus entes queridos. Eles têm também uma história que precisa continuar e, por isso, deverão "*sobre viver*" e ir além do que já sofrem, tal como o depoimento de Vanderley, sobrevivente do suicídio do irmão, elucida:

> [...] tem acontecimentos que você não espera, que não dá nem para medir. Mas, se for falar desses acontecimentos comparando, não tem nada parecido com o suicídio. Suicídio é um impacto. É uma sensação de impotência. Você não sabe se fez aquilo que deveria ser feito [...]. É difícil expressar como é essa diferença entre as mortes por suicídio e outras causas, porque é uma dor que dói muito forte. Não que as outras não tenham doído, mas essa pelo suicídio do meu irmão estava difícil de passar. Difícil de tentar se conformar, e o sofrimento vem muito à tona! Tornei-me um sobrevivente que tem de sorrir, pois tudo deságua em mim [...].

De acordo com a National Action Alliance for Suicide Prevention (2015, p. 8, tradução nossa), cada morte por suicídio impacta em média 115 pessoas, e a vida daqueles que ficaram – os enlutados – pode se tornar um caos:

> De 115 enlutados, 53 afirmaram que a vida foi interrompida por um curto período; 25 dessas pessoas disseram que a vida foi interrompida de maneira significativa por um tempo maior; e 11 dessas 25 relataram que o suicídio teve um efeito devastador em sua existência.

Ao ser traduzido para o português, o termo recebeu duplo sentido para designar tanto a pessoa que tentou o suicídio e não teve a morte consumada quanto quem está em processo de luto por suicídio. Nesta obra são denominados "sobreviventes" aqueles que vivem o processo de luto por suicídio; portanto usarei o termo para designar qualquer pessoa em processo de luto, impactada pelo suicídio, incluindo filhos(as), mães (pais), amigos(as), funcionário(a), cunhado(a), irmãos(ãs), sobrinho(a), genro (nora), ex-namorado(a), ex-marido (ex-esposa), entre outros.

QUEM SÃO OS ENLUTADOS DESTE LIVRO?

Contei, nesta obra, com o auxílio de 32 pessoas impactadas por 42 suicídios, entre elas Beatriz, que perdeu o chefe e, meses depois, a melhor amiga; Emi, que perdeu o avô e o cunhado; Julia, que perdeu o pai e um colega de faculdade; Patrícia, que perdeu a irmã e uma amiga; Rodrigo, que foi impactado pelo suicídio do irmão, de dois cunhados e do avô, enquanto Sonia enfrentou o suicídio de seus três tios – Rodrigo e Sonia são pai e filha. A variação no grau de proximidade com a pessoa que se matou pode ser elucidada pelo agrupamento nas "categorias" indicadas a seguir:

- Mães: 3
- Estagiária: 1
- Colega de faculdade: 1
- Amigas: 3
- Neta: 1
- Neto: 1
- Cunhada: 1
- Cunhados: 2
- Ex-companheiro: 1
- Filhas: 12
- Filhos: 3
- Irmãs: 3
- Irmãos: 2
- Ex-genro: 1
- Noras: 2
- Ex-namorada: 1
- Sobrinha: 3
- Vizinha: 1

O impacto de cada morte por suicídio se faz presente nas pessoas que ficaram, como aponta Fine (2018, p. 118): "O suicídio é uma situação extremamente perturbadora. É incrível como a decisão de uma pessoa pode afetar tantas vidas".

As várias consequências da morte por suicídio fazem que a pessoa duvide da restauração de seu equilíbrio – questão levantada por um dos enlutados após o suicídio do filho. A ele, respondi que acreditava que sim, mas que a dor estava tão em "carne viva" que seriam necessários tempo e muito autorrespeito para que ele se resgatasse novamente. Afinal, "há sempre a chance de integração das partes que estão fragmentadas a fim de se construir alternativas para que a reforma e a construção existencial aconteçam em partilha" (Fukumitsu, 2018b).

Acredito que, apesar da dor, da dúvida, da falta de esperança e da turbulência causadas pelo suicídio, seja possível gerenciar a crise. Porém, o enlutado deverá investir esforço hercúleo para a continuidade da vida, mesmo sem se reconhecer e estando perdido pelo caos que se instalou a partir do momento em que o suicídio aconteceu.

Durante o trabalho de compreensão do luto por suicídio, senti necessidade de perguntar aos enlutados: "Você se considera um(a) sobrevivente por ter passado pela experiência de enfrentar o suicídio da pessoa que amava?" Dos 32 enlutados, seis não puderam responder à pergunta, 22 concordaram com o termo "sobrevivente" e quatro discordaram, afirmando que, se aceitassem essa denominação, se colocariam no papel de vítimas da situação. Suas percepções foram respeitadas e apresentadas ao longo deste livro. Dessa forma, todos os depoentes que não concordaram com o termo "sobrevivente" foram chamados de "colaboradores", além de receber nomes fictícios para que sua identidade fosse preservada. Como nem todos concordaram com o termo, também alterei o título deste livro, acrescentando a palavra "enlutados" depois de "sobreviventes". Nesse sentido, o termo "sobrevivência" parece expressar o árduo processo de lidar com o sofrimento quando da morte por suicídio.

O suicídio provoca impactos cuja profundidade não conseguimos dimensionar, ou seja, não conseguimos compreender as repercussões da morte violenta. No entanto, parti da premissa de que todos estão feridos, machucados ou abalados, sendo o adoecimento uma das respostas ao luto por suicídio.

ADOECIMENTO COMO UMA DAS REAÇÕES AO LUTO POR SUICÍDIO

Seria impossível ficar ilesa ao enorme sofrimento vivido por aqueles que foram impactados pelo suicídio de quem amam que presencio diariamente. Trabalhar com traumas e crises existenciais implica uma constante ampliação de *awareness* dos valores e convicções sobre a vida e dos cuidados para com minha saúde

Não acredito em coincidências; por isso, penso que não foi por acaso que adoeci exatamente no mesmo momento que realizava a pesquisa de pós-doutorado que originou este livro, como pontuado na obra *A vida não é do jeito que a gente quer* (2015, p. 19):

> Pensando bem, acredito que passei por tudo isso para que provasse, de fato, minha coerência entre aquilo que falo e faço. Embora não tenha sido uma experiência fácil, compreendo-a como uma oportunidade pela qual pude provar minhas convicções, principalmente sobre meus valores de vida. Ironicamente, sempre vivi, visceralmente, tudo o que estudei. [...].
>
> Atualmente, em meu estudo sobre "Cuidados e Intervenções para o Sobrevivente Enlutado pelo Suicídio", pesquisa de pós-doutorado, reflito sobre os cuidados ao "processo de morrência", sobre a importância de acolher a impotência advinda de situações alheias à nossa vontade, e aprendo diariamente novas maneiras para enfrentar as adversidades e os obstáculos, ou, em minhas palavras, a "extrair flor de pedras".

Confusa e com profunda sensação de inadequação, naquele momento fui convocada a respeitar as pistas corpóreas para que pudesse me reconciliar comigo mesma. Não desejo culpar este estudo pelo meu adoecimento – aliás, acredito que seja incorreto responsabilizar um único fato na compreensão dos comportamentos autodestrutivos que devem ser entendidos como multifatoriais.

O que desejo destacar é a observação surgida sobretudo após minha recuperação, quando revi alguns dos depoentes da pesquisa, que, além de "estarem contentes por me rever curada, queriam compartilhar que um dos maiores impactos pelo suicídio de seus entes queridos foi o de que adoeceram". Outros enlutados que souberam que fui acometida por doença autoimune compartilharam que também sofreram do mesmo mal. Com base nessa similaridade, refleti que a "montanha-russa" dos sentimentos e pensamentos do processo de luto por suicídio é tão intensa que a imunidade é um dos aspectos mais abalados naquele que se vê obrigado a enfrentar a morte de alguém amado.

Durante o processo de luto, a pessoa busca o sentido da existência de quem se foi; por isso, aprende forçosamente a transformar sofrimento em esperança. A fé e confiança são abaladas quando acontece um suicídio. Parece que tudo desmorona. Ficamos "sem chão", sem ar e sem sentido para continuar...

> O suicídio é uma resposta angustiada à perda: da fé, de um ente querido, da saúde, da capacidade mental, do dinheiro, da capacidade de lutar. À medida que nós, sobreviventes, nos distanciamos da desesperança e do desespero que impediu nossos entes queridos a pôr fim a suas vidas, começamos a chorar sua morte, não por seu suicídio, e começamos a nos curar da dor bastante real que existe dentro de nós. (Fine, 2018, p. 125)

Quando comecei a escrever este livro, surgiu uma grande dúvida: qual seria o termo mais adequado para representar o que desejo comunicar? Doença ou adoecimento humano? O que merece cuidado, o adoecimento ou o sofrimento?

Essas questões implicam um posicionamento de quem escreve, pois tangem aspectos da psicopatologia e dos incidentes que acometem o ser humano. Refletir sobre adoecimento requer estabelecer relação direta com a pessoa que é acometida pela doença. Enquanto a doença é apresentada como quadro clínico, cujas especificidades são categorizadas por meio de sintomas, possíveis causas e tratamentos, o adoecimento depende da inter--relação entre quadro clínico e a pessoa que traz consigo sua história e a maneira singular de enfrentar as adversidades que a vida lhe apresenta.

A discussão sobre o adoecimento em virtude de um processo de luto deve ser embasada em sua singularidade, envolvendo estratégias para cuidados integrativos e o tempo próprio do enlutado para processar suas perdas. Em outras palavras, não devemos entender que o adoecimento pós-luto por suicídio seja concebido como doença psiquiátrica. Isso posto, gostaria de trazer à luz a mudança de posicionamento do DSM-V, que afirma que o luto que durar mais de duas semanas será considerado depressão. Acredito que teríamos de avaliar essa questão e, assim como Maria Helena Pereira Franco (*apud* Lima, 2013) afirma, considerar a idiossincrasia dos enlutados:

> [...] é preciso levar em consideração que existem questões individuais para a perda de um ente querido. Por isso, o tempo de luto, usado como critério no manual divulgado, pode ser variável. Para ela, não se pode dizer que a situação é patológica, já que a natureza da morte também influencia os sentimentos de dor. "É o caso de quem perde uma pessoa jovem de forma inesperada, como em um acidente de trânsito, uma situação diferente da vivida por pessoas que se despedem de um idoso, um processo natural da vida", compara.

Utilizar o critério de tempo de apenas duas semanas para uma pessoa elaborar o processo de luto é engessar e reduzir a compreensão de qualquer doença. Como Perls (1988, p. 12-3) assinala,

> no esforço de formar todos os diferentes modelos e dimensões do comportamento humano na cama de Procusto da teoria, muitas escolas de psiquiatria ignoram ou condenam aqueles aspectos dos modos de viver que, obstinadamente, resistem a explicações nos termos de seus próprios argumentos favoritos.

Na discussão sobre o adoecimento, é preciso que se instale uma postura de compreensão acerca da totalidade envolvida no processo de enfrentamento daquele que adoece, sobretudo daquele que sobrevive ao processo de luto por suicídio. Nessa direção, prefiro utilizar a palavra "adoecimento" por entender a inter-relação entre doença, adoecimento e enfrentamento singular das adversidades. Evito, assim, a confusão estabelecida entre depressão e adoecimentos provocados pelo processo de luto. Ao mesmo tempo, quando adoto essa compreensão, não preciso entrar em embate onipotente para que o adoecimento desapareça rápido e, assim, o enlutado possa viver seu adoecimento interinamente. Rilke (2007, p. 154) ensina: "A doença é o meio pelo qual um organismo se liberta do que lhe é estranho; é preciso então apenas ajudá-lo a estar doente, a ter sua doença inteira e a escapar dela, pois esse é seu progresso".

O que desejo ressaltar é o fato de que, se o adoecimento pode ser reação ao luto, deve-se compreendê-lo como temporário e *uma resposta* ofertada pelo enlutado como ajustamento criativo, porém disfuncional, pois provoca sofrimento. Não gostaria que o leitor pensasse que o estado de adoecimento é *a única* resposta para a situação de enfrentamento da morte de um ente querido, mas *uma das* possíveis reações durante o processo de luto.

> Ajustar-se criativamente é viver a vida como fluxo, na interação com os outros e os acontecimentos, apropriando-se e criando recursos, assumindo a responsabilidade e a cocriação do próprio destino – pois, se não podemos determinar integralmente o que nos acontece, somos livres para escolher e responsáveis por como vamos viver as experiências, ofertando ou não a elas um sentido. (Cardella, 2014, p. 114)

Dessa forma, o que adoece não necessariamente é o impacto *de per si* do suicídio, mas a maneira como a pessoa responde a ele e ao sofrimento advindo do processo de luto. Também desejo salientar que a sensação de caos provocada nessas condições não deve ser vista como adoecimento. Digo isso porque foi muito comum ouvir dos depoentes que se sentiam "à beira da loucura" ou que o sofrimento era tanto que achavam que estavam loucos. Entendo tais falas, devido à grande confusão que se instala pela falta de diferenciação entre sofrimento e adoecimento – ou seja, *estar* enlouquecido por uma situação estressante difere de *ser* louco.

Segundo Augras (1986, p. 12), "saúde e doença não representam opostos, são etapas do mesmo processo", o que significa dizer que o adoecimento não deve ser compreendido como oposição binária de saúde. A experiência turbulenta faz que o sobrevivente tenha a sensação de estar vivendo o ciclo de levantar-se, cair e reerguer-se de maneira incorreta, o que o faz perder toda sua energia, provocando o adoecimento.

Nesse sentido, todo adoecimento traz sofrimento, que por vezes provoca interdições na conduta humana, sobretudo por escancarar a vulnerabilidade, a limitação e a restrição de possibilidades. Em outras palavras, adoecer significa confrontar as restrições e ter de aprender a se reinventar.

> A energia direcionada a si exige um processo intenso de passar e repassar a situação para descobrir outras alternativas que não a exposição. Há, portanto, tentativas de desmantelamento da situação que gera ansiedade e culmina num "ruminar" sem fim. (Schillings, 2014, p. 208)

O fato é que não adoecemos porque queremos. Adoecimento é retroflexão, que, para a Gestalt-terapia, significa que faço comigo aquilo que gostaria de fazer com o outro. Em outras palavras, na impossibilidade de agir em prol de quem se matou, o enlutado pode adoecer em consequência da perda de energia pela "página" que parece nunca virar – primeiro pelo fato de o outro estar morto e, segundo, por não conseguir mais endereçar as energias para cuidar de quem morreu. Assim, a energia é revertida contra a pessoa em forma de culpa, o sentimento unânime dos enlutados.

> *Acho que o problema do suicídio para os familiares, para as pessoas mais próximas, é que o processo de adoecimento dele envolve a culpa, a culpabilização daqueles que estão ao redor dele. Então, acho que é por isso que as pessoas ficam mais deprimidas, porque a depressão tem que ver com culpa. Com se sentir o pior dos piores seres humanos. E minha irmã é uma pessoa que desenvolveu esse comportamento também. O comportamento de culpar o outro por aquilo que não acontecia de bom para ela, que é uma coisa bem da minha mãe. Via minha mãe brigando muito com a minha avó, com a mãe dela. [...] e aí, quando minha mãe morreu, tiveram essas coisas de família e de brigas. Então, por exemplo, minha avó culpava meu pai. E o meu pai culpava a*

família da minha mãe. Culpava-me por eu achar que eu não tinha muito remédio. Eu cheguei a me culpar. *Porque, como eu sentia muita raiva e desejava que ela [mãe] desaparecesse, eu queria ficar com o meu pai, não queria ficar com ela.* Com a minha avó e tudo. Acho que na fantasia infantil, onipotente, eu me senti responsável de alguma maneira. Eu não sou culpada, minha mãe também não é culpada. A vida que ela conheceu ela não quis viver. [...] Ela deixou duas filhas. Mas também quem falou que a mãe tem de criar os filhos? É a cultura que a gente vive. Porque fui muito bem-criada. Fui até mais bem criada. Porque realmente a minha mãe era poderosa, porque ela deixou todo mundo muito culpado mesmo. Senão a minha avó não teria posto a culpa no meu pai, meu pai não teria posto na minha avó, minha avó não teria obrigado meu pai a deixar a gente com ela. [Nívea, sobrevivente do suicídio da mãe]

Nívea ajudou-me a concluir que, além da culpabilização, comentários "infelizes", elucubrações acerca da pessoa que se matou e falta de acolhimento também adoecem alguns indivíduos em processo de luto. Alves (2012, p. 95) menciona: "Há pessoas muito velhas cujos ouvidos ainda são virginais: nunca foram penetrados. E é preciso saber falar. Há certas falas que são um estupro. Somente sabem falar os que sabem fazer silêncio e ouvir". Desse modo, alguns enlutados por suicídio iniciaram um processo do qual aprenderam a não querer falar, para não ouvir mais acusações, e, por fim, adoeceram por se calarem.

Lembremos que "quem está longe julga e quem está perto compreende" (Fukumitsu, 2012, p. 70). Acusar alguém de a vida estar um caos é convite para o afastamento das relações, como afirmado por Ivone, que sofreu pelo suicídio da mãe, aos 10 anos de idade, e assistiu bem de perto ao que seu pai e a família da mãe experienciaram:

> Quando minha mãe morreu, ouvi meus avós colocarem a culpa de ela ter se matado no meu pai. Logo depois que a minha mãe faleceu, ele disse: "A família da sua mãe é uma página virada. Seguirei a vida". E ele se afastou das pessoas por não querer se sentir julgado.

Apesar de muitos dos sobreviventes afirmarem que a vida "parou" quando tiveram de lidar com as consequências do suicídio, Patrícia, cuja irmã se matou, não acredita que isso tenha "arrancado sua vida" durante o processo de luto. Para ela, embora o suicídio da irmã tenha sido terrível, proporcionou oportunidades para que cada integrante da família se conhecesse. Em suas palavras,

> ela nos deu uma oportunidade de transparência. É por isso que eu penso que o suicídio dela quebrou um paradigma na família. Ela deu abertura para todo mundo. Foi embora para todos conseguirem ver aquilo que ninguém via.

O fato de Patrícia ter sentido o suicídio da irmã como uma oportunidade para enxergar o que não era visto fez-me refletir sobre o fato de nem sempre o suicídio de um ente querido ser percebido como aniquilador do impulso de vida do enlutado. Ao contrário, também pode ser visto como um convite à renovação da maneira como o enlutado conduz sua vida.

Penso que a culpa, energia redirecionada contra o enlutado, pode ser utilizada para o reequilíbrio homeostático. Explico. Por considerar os adoecimentos polaridades do comportamento suicida, iniciei meus estudos sobre eles; afinal, "se não há explosão haverá implosão, e o suicídio é uma explosão implosiva, pois o algoz é a mesma pessoa que a vítima, ou seja, quem não explode (adoecimento) implode (suicídio)" (Fukumitsu, 2015, p. 213).

Como vimos, o adoecimento é a resposta do organismo para dar conta da energia tóxica que ficou represada. Dessa forma, o definhar existencial, que denomino "processo de morrência", pode ser um convite ao cuidado. Perls, Hefferline e Goodman (1997, p. 79) afirmam: "A doença é uma situação inacabada por excelência, podendo ser acabada apenas pela morte ou pela cura".

Como são deixados para trás, os enlutados veem-se obrigados a caminhar em uma jornada na qual a necessidade de voltar a atenção e a energia para si torna-se essencial. Clark (2007, p. 18) ensina: "Quando estiver triste, olhe no fundo de seu coração e perceba que, na verdade, você está chorando por aquilo que lhe trouxe deleite. A coisa mais difícil de se lidar é a perda". Por instinto de sobrevivência, o enlutado busca sua cura para não morrer.

A dor do luto é tanto parte da vida quanto a alegria de viver; é, talvez, o preço que pagamos pelo amor, o preço do compromisso. Ignorar este fato ou fingir que não é bem assim é cegar-se emocionalmente, de maneira a ficar despreparado para as perdas que irão inevitavelmente ocorrer em nossa vida, e para ajudar os outros a enfrentar suas próprias perdas. (Parkes, 1998, p. 22-23)

Se não há respostas fora, existe a chance de encontrar respostas internas. Em outras palavras, paradoxalmente, para sairmos do sofrimento devemos mergulhar nele a fim de que, a partir do momento em que conseguirmos acomodá-lo dentro de nós, ele receba um lugar de acolhimento. Sofrimento acolhido tende a ser ressignificado. Sofrimento negado tende a perturbar, como ensina Rubem Alves, no texto "Comemorar, recordar" (2013, p. 114-15):

> Há a estória [história] daquele homem dilacerado pela dor da saudade de sua amada, que morrera. Em desespero dirigiu-se aos deuses pedindo que a devolvessem.
> — A morte é mais forte que nós — responderam os deuses. — Não podemos devolver o que a morte levou. Mas podemos pôr fim ao seu sofrimento. Podemos fazê-lo esquecer a sua amada. Podemos curá-lo da saudade...
> Horrorizado, o homem respondeu:
> — Não, mil vezes não! Pois é o meu sofrimento que a mantém viva junto de mim!

A pessoa em luto se vê obrigada a lidar com o drama de ter de enfrentar a morte de quem ama, viver o trauma e, caso endereCe a energia a seu favor, criar uma disciplina para sustentar seu corpo enquanto sua alma pedir por mais tempo para se recuperar. Para tanto, precisará prosseguir em sua trajetória de vulnerabilidade.

Assim, quem adoece e não busca informações sobre a doença, bem como sobre os possíveis tratamentos, não saberá se seu adoecimento poderá ter cura ou se o sofrimento poderá ser reduzido.

O enlutado terá a chance de perceber que ser forte significa ser frágil em momentos de dor. Assim, em trajetória solitária, a pessoa em luto descobrirá uma das características mais peculiares dos seres humanos: a superação, ou, brincando com as palavras, a *"super* ação". Nesse sentido, é preciso olhar a ferida.

> Que nos debrucemos sobre nossas despedidas, num exercício delicado e despretensioso, feito mãos que semeiam flores, tecem tapetes de retalhos ou peneiram sementes e, assim, tenhamos alma para compreender que algo sempre fica quando alguém vai embora, que as despedidas mudam o tamanho da nossa alma e que esquisito é um mundo onde a dor é esquisitice e as travessias da dor não são estreitas e demoradas. (Gouvêa, 2018, p. 188)

Acredito que o ponto mais importante a ser ressaltado é que devemos criar ações para acolher o sofrimento existencial e cuidar dele. Nesse sentido, o sofrimento pode ser a grande motivação para mudar, a mola propulsora para transformar situações desconhecidas em conhecimento.

O suicídio finaliza o sofrimento da pessoa que se matou, mas outro sofrimento se instala na vida do enlutado, causado pelo impacto da morte escancarada, repentina e violenta. Os enlutados que ouvi transformaram-se e foram transformados em pessoas fortes, não apenas porque foram impactados pelos suicídios de quem amavam, mas para continuar vivos. *Sobreviveram*. A vida com a marca do suicídio lhes foi apresentada com outra vestimenta e, quando a morte se aproximou e invadiu suas moradas existenciais, cada um reagiu como pôde.

2. O impacto do suicídio: marcas, mudanças e a busca de explicações

COMEÇO ESTE CAPÍTULO com o depoimento de Wilma, sobrevivente do suicídio do pai:

> [...] Ter um pai que se matou é uma experiência que eu poderia dispensar na minha vida [...]é uma experiência horrorosa que deixa muitas marcas na gente. Essas marcas parecem cicatrizar e elas vão, elas vêm, elas abrem, elas fecham. É uma coisa com que você vai ter de lidar pelo resto da vida. Não tem muito jeito de fugir disso. E muda muito a sua vida. Porque o seu olhar sobre a vida muda. E aí as suas relações se modificam. [...]

Por terem de se encarregar do próprio luto, retomar a vida e cuidar de outras pessoas ao redor, os indivíduos enlutados vivenciam uma sobrecarga intensa de emoções, o que acentua o sofrimento psíquico, como foi o caso de Júlia, sobrevivente do suicídio do pai:

> Uma bigorna caiu na sua cabeça e você não morreu. E aí você é parceiro naquela tragédia. Espirrou sangue, eu fiquei com a roupa suja. Passei anos achando que poderia ter feito alguma coisa, até me convencer de que não poderia fazer nada, eu era uma menina que não sabia nem direito o que eu sabia. Mas sabia, sim. Eu sabia que meu pai tinha comprado uma arma não sei onde, aí foi até a empresa que ele tinha com essa mulher, deu alguns tiros nela e ela não morreu. Ficou um rasgo, um buraco mesmo. [...]. Porque acho que o suicídio faz uma coisa muito horrível com as pessoas. Ele deixou de ser o meu pai para ser um suicida. Eu perdi não só a pessoa física que ele era, mas o direito de ter um pai porque ninguém fala nele.

Todos os sentimentos parecem se misturar em reação à impotência provocada pela morte repentina e violenta. Se pudessem escolher, os enlutados provavelmente não viveriam a experiência do suicídio de seus entes amados, mas a morte se apresentou com fúria avassaladora e a dura realidade veio à tona.

Associo o suicídio a um *tsunami*. Por isso, a primeira fase exige que possamos apenas recolher os escombros. Um *tsunami* existencial atinge os indivíduos em cheio, e talvez o enlutado sinta que sua vida foi embora junto com quem se matou.

> *Ele se matou! Eu soube pelos outros [...]. Concordo com o termo sobrevivente. Acredito que todos os que passam por essa morte inesperada de um ente querido se tornam sobreviventes, porque após o ocorrido eles mudam, algo distante se torna muito próximo. Também ocorre uma espécie de morte dentro de si, onde você deve aprender a lidar com novas emoções e, consequentemente, encontrar uma nova forma de caminhar.* [Taís, referindo-se ao suicídio do sogro]

Como dito por Taís, em geral os sobreviventes enlutados precisaram lidar com uma vasta diversidade de sentimentos que marcam sua vida. E, às vezes, continuar se torna muito difícil: "'A vida deve continuar', é o que todos os meus amigos me dizem. Como se a vida PUDESSE continuar. Ninguém vê que minha vida está no acostamento? Que ela ficou entre parênteses com a morte da minha irmã?" (Turgeon, 2017).

Suicídio é catástrofe que se instala na vida de quem sofre. A questão que se torna figura é: "Quem mata quem quando acontece o suicídio?" (Fukumitsu, 2013b, p. 69). Alguns dos entrevistados se sentiram "mortos" quando a pessoa amada se matou. É o que parece ter acontecido com Amália, que sofreu pelo suicídio do filho mais velho, então com 24 anos de idade:

> *Emparedaram aquela criatura que voava, que surfava e que corria. Emparedaram o amor da minha vida, minha alma gêmea. E eu morri com ele. Só não fui enterrada. Continuei no mundo dos vivos de pé, dia após dia,*

lentamente, pedindo a morte todo santo dia: "Senhor, me leva daqui. Me leva daqui. Me leva daqui. Me leva desse lugar que não serve mais para mim, porque acabou". Mas sabe, doutora? Deus não funciona desse jeito. Deus não funciona assim. Ele não ouviu as minhas preces, não nesses momentos. Eu continuei viva.

Diversos sentimentos e pensamentos tornam a situação pós-suicídio caótica, pois surgem dúvidas sobre o que de fato acontecia com quem se matou – culpa, raiva, mágoa, medo, indignação, revolta, vergonha, entre outras reações provocadas pela autoaniquilação de quem se ama (Stillion, 1996; Jamison, 2010; Shneidman, 2008).

A fim de ilustrar o impacto do suicídio, compartilharei a história de Olga, sobrevivente do suicídio do ex-namorado, ocorrido quando ela tinha 15 anos.

Olga me escreveu perguntando sobre o anonimato e a possibilidade de ser preservada, dizendo que "tinha experiência de ter sido muito exposta". Realizamos duas entrevistas. Cuidadosa, revisou todas as perguntas da primeira entrevista e solicitou um segundo encontro, que aconteceu uma semana depois. De início, discordou do termo sobrevivente, mas depois concordou com ele.

Depois de um relacionamento de um ano e meio, Olga se interessou por outra pessoa e, por esse motivo, resolveu terminar o namoro num domingo à noite. Na segunda de manhã, recebeu uma ligação do ex-namorado, que lhe pediu para voltar com ele. Percebeu que a música de fundo era "You could be mine" ["Você poderia ser minha"], do grupo Guns n' Roses. Quando ela disse que não queria reatar o namoro e que estava decidida, ele se matou. O tiro compõe o barulho ensurdecedor que a acompanha desde então. Por anos a fio, os sons do tiro e daquela canção específica ecoaram fortemente.

A sonoridade da música não era mais aquela que outrora a tranquilizava; agora, aquilo a atordoava. Cada parte da letra de

"You could be mine" se transformou em mensagem que reforçava a culpa e a sensação de que era a responsável pela morte do ex-namorado.

Enquanto a música a atordoava, aquilo que escrevia dia após dia em seu diário a apaziguava. Ali, Olga registrava recordações e sentimentos em relação ao suicídio de quem um dia amara e fora responsável por modificar completamente sua vida. O diário se transformou num recurso que a auxiliou a se organizar e a lidar com o trauma.

Além do barulho do tiro e da música como "pano de fundo" da morte do ex-namorado, Olga assinalou que sonhou diversas vezes com o rapaz e acordava com uma sensação de alívio, porque em todos os sonhos eles voltavam a namorar. Mencionou ter feito associações entre traição e morte, mas durante seu depoimento percebeu que "morte" e "traição" se referiam a fatos diferentes que se misturaram: o término do namoro e o suicídio. Nessa direção, foi preciso confirmar a emoção sentida durante a entrevista, quando a sobrevivente conseguiu discriminar a confusão entre os dois acontecimentos.

Durante a entrevista, identificou que o que provocou a desorganização de suas percepções entre "traição" e "morte" foi o fato violento do suicídio. Relatou que a culpa acabou se tornando a vivência mais trágica e falou da necessidade de se isolar das pessoas, pois teve de lidar com a sensação de julgamento dos outros. Cinco anos depois do suicídio do ex-namorado, considera ter um conhecimento diferente do que tinha quando foi impactada pela morte trágica.

Assim como Olga, os enlutados evidenciaram que se sentiram feridos pelo suicídio da pessoa com quem se relacionavam. Também buscaram explicações para a morte, tentando compreender se aquilo poderia ser interpretado como uma punição ou uma mensagem.

Considero o suicídio uma forma de apressar aquilo que inevitavelmente acontecerá com todo ser humano. Todos os que nascem morrerão; assim, a morte é uma condição da vida da qual ninguém pode fugir. Ao mesmo tempo, costumo indagar sobre as principais motivações que levam uma pessoa a se matar. O que provoca esse "apressamento" é o intenso sofrimento (Shneidman, 1993). Cassorla (1991a, p. 9) afirma: "A pessoa que pensa em suicídio ou tenta se matar está, evidentemente, sofrendo. Quando ela não encontra formas de diminuir ou compreender esse sofrimento, que se torna insuportável, o suicídio parece ser a única saída".

Além do sofrimento, devemos atentar às diferenças de personalidade entre indivíduos, como comprovam os comentários de Beatriz. Segundo ela, o amigo que se matou era uma pessoa "inalcançável", que não permitia que ninguém interferisse em sua vida e se afastava de qualquer possibilidade de ajuda. Já o chefe, que compartilhava angústias com ela, mostrava-se "uma pessoa mais alcançável", uma vez este se abria para seus conselhos e dava permissão a interferências. No caso, um mais fechado e outro mais acessível.

Além disso, a depoente auxiliou na reflexão sobre outro aspecto importante: o arrependimento daquele que tenta se matar.

Meu amigo se arrependeu do suicídio. Ele tinha consciência daquilo que estava acontecendo, diferentemente do meu chefe, com quem não sei o que aconteceu durante o processo. Eu sei que esse meu amigo morreu arrependido, dizendo que não queria morrer. O hospital não conseguiu reanimar e tudo mais.

O arrependimento diz respeito a uma das características apontadas pela OMS (2014): ambivalência pela qual a pessoa se torna indecisa a respeito de seu desejo de matar, o que a faz sofrer e continuar a viver. Menninger (1965) aponta que algumas pessoas não querem de fato se matar, pois a tríade a ser considerada é: 1) querer se matar; 2) desejar ser morto; 3) matar-se. Nesse sentido, quando há arrependimento, pode-se pensar que um desses itens não estava em consonância com os demais. Quem deseja a morte deseja matar o que provoca o sofrimento. Nessa direção, é o sofrimento que a pessoa deseja matar, e não a si mesma como um todo.

Assim como existem tipos diferentes de personalidade, há também vários tipos de suicídio – como o repentino e o planejado. Independentemente do tipo, o sofrimento que o enlutado tem de enfrentar durante o processo de luto pode ser penoso e complicado. O que torna difícil a vida do enlutado é que ele perde as referências conhecidas e a estabilidade outrora experienciada. Robinson (2001, p. 24, tradução nossa) assinala:

> Os que ficaram para trás, os sobreviventes do suicídio, tendem a experimentar uma forma muito complicada de luto, em parte devido à combinação do choque da morte repentina à pergunta "Por quê?" e possivelmente ao trauma por descobrir o corpo do morto ou por testemunhar o suicídio.

Esse foi o caso de Úrsula, que afirmou que nunca pensou que veria alguém morto por suicídio, muito menos que a pessoa morta seria seu irmão. Recordação terrível que não se apaga da memória e faz que o cenário do suicídio se torne uma lembrança permanente para o enlutado.

Sofrer o impacto do suicídio é ressaltar "as marcas" que ficaram e ficarão após a morte de quem se ama. Mesmo que o tempo passe, a memória parece eternizar a dor, pois é impossível esquecer o momento em que a vida do enlutado mudou por completo. O enlutado se vê demandado por ter de se manter vivo apesar da sensação de estar morto, e assim começa nele o paradoxo entre a vida e a morte.

O PARADOXO ENTRE A VIDA E A MORTE NO ENLUTADO

As histórias compartilhadas apontam para a ambivalência "vida" *versus* "morte", representada pelo paradoxo da continuidade de vida *versus* interrupção repentina da existência de entes queridos. Ao mesmo tempo que as pessoas em luto tiveram de enfrentar a morte da pessoa amada, viveram experiências de "vida".

Enquanto Amália descia por um elevador rumo a uma entrevista de emprego, seu filho, que não via havia algum tempo e pedira para não ser anunciado pelo porteiro, entrou pela mesma porta do prédio, subiu por outro elevador e aniquilou sua existência, jogando-se do 11º andar. Durante a entrevista de emprego, Amália recebeu uma ligação do zelador, que pediu para que retornasse para casa o mais rápido possível, sendo informada de que seu primogênito, sua "alma gêmea" – maneira como se refere ao filho –, se jogara do prédio.

Emi, Giovana, Julia e Taís estavam grávidas ou com filhos pequenos quando o suicídio de seus entes amados aconteceu, e todas mencionaram a dualidade entre ter de vivenciar a finalização de uma vida e o início de outra. Entre se entristecer pelo suicídio de um ente querido e celebrar o nascimento e a vida de seus filhos, as enlutadas experimentam a sensação de abandono por parte daquele que se matou. Receberam cuidados no sentido de ser poupadas de saber que a morte fora causada por suicídio. Já as enlutadas que tinham filhos pequenos relataram culpa por não terem permitido que a pessoa que se matou cuidasse dos filhos antes de o suicídio acontecer. Foi o caso de Giovana, cuja mãe se matou três meses depois de sua segunda filha nascer; à época, por não acreditar que a mãe pudesse cuidar do bebê, impediu o contato entre ambas, alegando ser difícil confiar na capacidade de uma pessoa cuidar de outra se não conseguia cuidar de si mesma. Nesse sentido, é bastante complicado lidar com indivíduos que não aceitam ajuda e se mostram incapazes de se cuidar e de receber cuidados.

Para essas pessoas, o paradoxo assinalado entre experiências vitais e suicídio provocou reflexões sobre a efemeridade e fragilidade da vida. Dessa forma, a polaridade entre a vida e a morte exprime a singularidade do impacto do suicídio, bem como torna evidente que cada pessoa sobreviverá à incessante busca de explicações à sua maneira.

A BUSCA DE EXPLICAÇÕES

A busca de explicações é permeada de perguntas: "Por que isso aconteceu comigo? Por que ele se foi desse jeito? Como será aprender a viver sem ter a pessoa amada por perto? Será mesmo que existem explicações? O suicídio significa desprendimento dos vínculos e das coisas materiais daquele que se matou? Foi um ato de desamor? Foi um ato de desespero? O suicídio foi causado por uma doença? Será que algum dia chegarei a uma resposta que ninguém descobriu ainda?" Quanto menos respostas o enlutado encontra, maior é o ciclo interminável de perguntas.

Em seu livro *The unique grief of suicide* [A dor singular do suicídio], Smith (2013, p. 8, tradução nossa) diz:

> Quando confrontados com os mistérios da vida e da morte, é melhor admirá-los como mistério e aceitar que algumas coisas na vida e na morte simplesmente não são explicáveis. Diferentes pessoas têm diferentes perspectivas sobre o significado de mistério, mas a maioria de nós admite que algumas experiências de vida permanecem, pelo menos, ambíguas e, em última instância, vão além de nossa compreensão. Suicídio e luto suicida se encaixam nessa experiência de mistério.

O mistério que talvez nunca se desvende faz que a pessoa em processo de luto procure descobrir as causas do suicídio. Entre uma definição e outra, uma parte fragmentada e outra, o indivíduo se mobiliza para tentar entender o ato suicida do seu ente querido e elaborar uma explicação minimamente plausível para dar conta do acontecimento inexplicável.

As hipóteses surgem como explicações que preenchem o vazio do mistério do suicídio, e cada enlutado processará o ato de maneira diferente, tal como Taís, que perdeu o sogro. Ela relatou que a relação entre ele e sua esposa era difícil, já que a sogra era muito fechada e ele, mais aberto – sugerindo que o suicídio acontecera em virtude da incompatibilidade de dinâmicas e de dificuldades nas relações interpessoais. Já para Rodrigo, impactado por quatro suicídios – a morte do avô, de dois cunhados e do irmão –, o ato foi causado pela depressão ou pela falta de preocupação com os outros.

Alguns enlutados sentiram-se impotentes diante da sensação de que poderiam ter feito algo diferente ou de que não terão suas perguntas respondidas. Outros tentaram encontrar pistas e explicações mais concretas e lógicas para o ato deliberado daquele que se matou e, além de enfrentar a montanha-russa de sentimentos, percorreram a suposta trajetória de seus entes queridos antes do suicídio, como foi o que aconteceu com Zélia, mãe de um jovem que foi encontrado morto no mar.

Zélia refez toda a trajetória percorrida pelo filho antes do suicídio para organizar a história. Depois do ocorrido, buscou pistas que pudessem ajudá-la a compreender como seu filho planejou se matar.

Em frente à empresa em que o filho trabalhava havia um quiosque, onde ela soube que o rapaz pagou a dívida do mês. Então, pediu para sair mais cedo do trabalho alegando que a mãe não estava passando bem, pegou um ônibus e foi até a rodoviária. Lá, pegou um ônibus rumo ao litoral, às duas da tarde. Ele foi encontrado morto na praia dias depois.

Com a história relatada por Zélia, entendi a necessidade de o enlutado "andar pelo mesmo caminho" percorrido pela pessoa que se matou, a fim de talvez obter ajuda concreta na elaboração do luto, por meio dos fatos. O enlutado se torna uma espécie de investigador, aquele que "investiga a dor" de quem se matou para acolher e "dar chão" à própria dor. Da mesma forma, a fim de elucidar sua necessidade investigativa, Giovana, cuja mãe se matou com um tiro no peito, também tentou descobrir o que aconteceu:

> *Fui à farmácia porque ela tomava uma medicação injetável e descobri que desde outubro ela não estava tomando a medicação. Fiz todo o percurso. Conversei, fui atrás, consegui descobrir quem foi o psicólogo que a entrevistou, que liberou o porte de arma. Eu conversei com a pessoa que a ensinou a atirar. E aí fico pensando: uma pessoa que estava tão deprimida, que não tinha energia para muita coisa, ter essa energia, não é? Meu esposo tem uma arma em casa, lembro que, passada uma semana mais ou menos, tive a curiosidade de pegar. Eu nunca quis pegar em arma e tive a curiosidade de fazer isso. E senti o peso. Eu cheguei a colocá-la contra o meu peito, não com a intenção de me matar, mas* parece que quis viver aquele momento dela. *Que sentimento vem, sabe? E é horrível, nossa!* [grifos nossos]

O suicídio é uma morte inexplicável e sem compreensão. Não se sabe ao certo quais são suas causas, e em toda tentativa de compreender a morte por suicídio é preciso avaliar a fundo os múltiplos fatores envolvidos. Trata-se, portanto, de um fenômeno multifatorial, como ensina Bertolote (2012, p. 76). Segundo o autor, o suicídio deve ser compreendido considerando fatores predisponentes – distais em relação ao ato suicida (questões sociodemográficas e individuais) – e fatores precipitantes – proximais em relação a tal ato (questões ambientais e fatores psicológicos e estressores recentes). Nessa direção, existem fatores de risco que estão relacionados com os aspectos sociais e individuais, a saber: tentativa(s) prévia(s) de suicídio; transtornos psiquiátricos; condições clínicas incapacitantes; história familiar de suicídio, alcoolismo ou transtornos psiquiátricos; se é divorciado, viúvo ou solteiro; se está desempregado ou aposentado; se enfrenta luto ou se sofreu abuso sexual na infância; se recebeu alta da internação psiquiátrica recentemente.

Os fatores precipitantes estão relacionados com questões ambientais que averiguam se a pessoa tem fácil acesso a métodos de suicídio, pois uma das formas apontadas pela OMS (2014) para a prevenção é o afastamento dos métodos letais. São os precipitantes do ato suicida os fatores psicológicos e estressores recentes, como separação conjugal, processo de luto, conflitos familiares, mudança de situação empregatícia ou financeira, rejeição por parte de pessoa significativa, vergonha e temor de ser considerado culpado por algo que fez.

Mesmo que apresentemos vários fatores de risco e possíveis causas para o suicídio, sempre lidaremos com elucubrações. Nesse sentido, proponho a diferenciação entre "aceitar" e "conformar-se", endossando que aceitar um acontecimento não significa se conformar com a situação. Apenas com a aceitação da realidade da morte trágica a pessoa em processo de luto legitimará sua dor, buscando então estratégias de enfrentamento. Ao mesmo tempo, não é possível concordar com alguém que deixa para trás tudo que construiu, investindo energia e tempo em laços afetivos e depois se retirando repentinamente da vida sem explicações. Entre "aceitar" e "conformar-se" surge o "não concordar". Ou seja, a pessoa pode "não concordar" com o fato de o ente querido ter se matado, porém deverá "aceitar" que sua vida foi impactada pela morte de outrem e que terá de encontrar forças para continuar.

O suicídio é horrível demais para ser lembrado e permanece como memória atordoante e dilacerante, e é exatamente por esse motivo que considero que o luto por suicídio difere do processo de luto causado por outras mortes.

LUTO POR SUICÍDIO *VERSUS* LUTO CAUSADO POR OUTRAS MORTES

Parece-me que, entre todas as perdas, aquela causada por suicídio é uma das que mais causam dor, por ser repentina, violenta, sem explicação imediata.

> O suicídio é diferente das outras mortes. Nós, os que ficamos para trás, não podemos digerir nossa raiva à injustiça de uma doença mortal, de um acidente aleatório ou de um assassino desconhecido. Em vez disso, sofremos pela mesma pessoa que tirou a vida de nosso ente querido. Antes de começar a aceitar nossa perda, precisamos lidar com as razões dela – e com o reconhecimento gradual de que talvez nunca saibamos o que aconteceu, nem por quê. (Fine, 2018, p. 14)

Seria o processo de luto por suicídio diferente dos que ocorrem em outras formas de morte? Para muitos enlutados, sim. Segundo eles, essa dor é totalmente diferente de qualquer outra – sobretudo por sua intensidade, que dificulta ao sobrevivente digerir o impacto agressivo do ato. É o que explica Wilma, sobrevivente ao suicídio do pai.

> *É uma dor de uma profundidade absurda. E ela vem e vai, por anos. É uma ferida que nunca cicatriza. O sentimento de impotência de não poder ajudar alguém que se ama, como foi o meu com meu pai, é imenso, e me parece que estará comigo pelo resto da minha existência. Você se torna um ser cindido.*

Marcadas eternamente por sentimentos como impotência, vergonha, culpa e raiva, as vivências dos enlutados são emudecidas pela fantasia de que nunca serão compreendidos em seu sofrimento:

> Algumas pessoas acham que seu luto é uma coisa tão íntima que não deve ser motivo de conversa. Podem ter medo de revelar suas verdadeiras emoções, de ter crises de choro ou de que pensem que ela é fraca. Podem imaginar que a intensidade de seu luto é anormal. (Clark, 2007, p. 41)

Em estudo anterior, Fukumitsu e Kovács (2016, p. 10-11) apresentam as principais especificidades do processo de luto diante do suicídio que estão associadas ao choque da situação traumática. Esta provoca nos enlutados sobreviventes sentimentos de falta de hospitalidade, de estranheza com uma diversidade de sentimentos, tais como culpa, choque, autoacusação, raiva, busca por lembranças, vergonha, isolamento, rejeição, falta de sentido e necessidade de explicações, configurando as mais importantes sequelas da vivência da morte por suicídio.

Com a morte de seus entes queridos, os enlutados perdem as peças principais do relacionamento que já conheciam e às quais estavam acostumados pelo convívio do dia a dia. Aquilo que era considerado um "quebra-cabeças" se torna, de uma hora para outra, uma "montanha-russa" a percorrer.

3. A trajetória na "montanha-russa"

> "A montanha-russa de emoções que se segue ao suicídio provoca um sentimento profundo de isolamento e de distanciamento de tudo que um dia pareceu familiar." (Fine, 2018, p. 104)

"Dor sem nome" – como disse uma irmã enlutada por suicídio –, a morte representa o finalizar de uma continuidade. A ausência do nome se dá devido à intensa dor causada pela confusão dos sentimentos, cuja trajetória é similar à de uma montanha-russa – com altos e baixos, sem direito a pausas para retomar o fôlego.

Wilma, sobrevivente do suicídio do pai, relatou que o processo de luto "foi uma loucura, pois a sensação, no dia seguinte ao suicídio, foi a de que eu tinha dormido em uma cama de pregos. Meu corpo inteiro doía".

O que talvez mais provoque dor no enlutado é a obrigatoriedade de continuar, embora se sinta perdido e questione se conseguirá superar a fase difícil e obscura. A energia se torna represada pela falta de compreensão da situação caótica. O que dói no corpo é a brutalidade que invadiu a alma do enlutado e o violento sequestro dos sonhos de estar junto e em comunhão com quem se matou.

Acredito que o que faz o corpo doer após o suicídio é o sonho que se tornou pesadelo e que se revela como um "novo" mundo para o sobrevivente. Como Lidbeck (2016, p. 4-5, tradução nossa) afirma, quando um indivíduo sofre a experiência da imensurável perda que é o suicídio, o corpo inteiro sente. Os impactos do luto normalmente manifestados são: dificuldades para dormir, perda de apetite, dores de cabeça, choro constante, dores, ansiedade, isolamento, raiva, culpa, tristeza, fadiga e cansaço, choque e depressão.

Vimos anteriormente que, em virtude das marcas causadas pelo impacto do suicídio, a música que acalantava o coração se tornou recordação do barulho estrondoso do som do tiro que reverberará na alma do enlutado...

O sabor da comida outrora apetitosa pode ser um meio para aguçar a memória do dissabor de constatar que nunca mais desfrutará da saborosa companhia de quem se foi...

O enxergar se transforma em lembrança atordoante para aquele que viu a imagem trágica de seu ente querido morto.

O olfato, berço de tantas memórias, pode se transformar no reforço do odor fétido do sangue, do corpo em putrefação ou do gás que foi utilizado para o suicídio.

O tato, que antes era o responsável pela expressão do afeto por meio do toque, permanece com a sensação gélida da identificação de que a pessoa amada estava morta.

O suicídio é uma morte tão abismal que a única maneira que o sobrevivente parece encontrar para continuar existindo é encarar o duro sofrimento que se instalou em sua vida.

> A morte repentina provocou o aumento das reações de raiva, desespero, desmotivação, culpa, choque, alteração de memória. O fato de tratar-se de uma morte inesperada impossibilita a despedida do falecido e pode deixar coisas não resolvidas com o mesmo, o que pode acarretar o aumento destas reações, principalmente culpa. (Mazorra, Franco e Tinoco, 2002, p. 52)

A seguir, apresentarei, por meio de mais um depoimento, a diversidade dos sentimentos do processo de luto dos sobreviventes do suicídio.

Quando a mãe se matou, no dia do seu aniversário de casamento, Nívea tinha 7 anos e meio. De acordo com Cassorla (1991b), a pessoa que escolhe uma data comemorativa para o dia da morte quer transmitir uma mensagem. Nívea diz que o estado emocional da mãe piorou depois que o pai saiu de casa. Com isso, as chantagens para que ele voltasse começaram. Ela relata que a separação precipitou a insegurança dos sentimentos e pensamentos da mãe, pois era constantemente questionada por ela – dizia que, se ela gostava do pai, não gostava dela. Também afirma ter sentido muita raiva da mãe quando ela se matou – ficou "com medo de ter superpoderes destrutivos que matassem as pessoas". É preciso reiterar que Nívea era muito pequena quando a mãe se matou. Nessa fase, a criança compreende o princípio da irreversibilidade, mas pode ter a crença de que foi responsável ou culpada pelo suicídio. Como afirma Clark (2007, p. 107):

> Talvez as crianças se sintam, de algum modo, responsáveis pelo suicídio e vão precisar de muita segurança e amor. Normalmente, elas percebem se alguém lhes oculta a verdade. Podem ainda ficar sabendo da história através de terceiros e se sentirão duplamente rejeitadas.

Depois do suicídio da mãe, Nívea nunca mais entrou no apartamento onde tudo aconteceu, dizendo que todas as suas coisas "vieram em malinhas". O depoimento dela me ajudou a refletir que assim também parece acontecer com o processo de luto pelo suicídio: as coisas retornam "em malinhas", como se apenas ao longo do tempo o sobrevivente conseguisse se recompor e reunir seus fragmentos. Cada "malinha" representa possibilidades, lembranças, sentimentos e pensamentos que se reorganizarão durante o processo de luto.

São os sentimentos inóspitos os que avassalam o mundo do enlutado, entre eles mágoa, sentimento de abandono, culpa e acusações, vergonha, raiva e revolta.

CULPA

Minha mente estava consumida com "e se". Se eu tivesse chegado em casa algumas horas antes. Se eu tivesse visto alguns sinais de alerta. Se ele tivesse me dito quanto ele estava sofrendo. Naquela noite, meu sofrimento começou quando eu, sem querer, tentei imaginar como poderia viver sem essa pessoa que amava profundamente. (Cobain e Larch, 2006, tradução nossa)

A culpa emergiu como sentimento unânime nos 32 depoimentos colhidos neste livro. Seria a culpa originada pela busca de explicações? Seria possível expiar a culpa acreditando que se deve "pagar pelos erros cometidos"? – pergunta de Amália, sobrevivente do suicídio do filho.

Percebo que, na impossibilidade de obter respostas para suas dúvidas, os entrevistados se sentiram culpados por anos a fio. Assim como a acompanhante dos porquês é a dúvida, a da culpa também a é.

A culpa emerge na forma de questionamentos, tais como "Será que fiz alguma coisa certa/errada? O que ficou faltando que eu não percebi? Será que fui negligente? O que eu poderia ter feito? Se eu tivesse conversado com a pessoa, ela teria se matado?". São perguntas diversas para respostas inócuas, pois a pessoa em luto por suicídio vive a ambivalência entre saber e não saber o que de fato aconteceu: sabe que o suicídio aconteceu, mas não conhece os motivos que o provocaram.

Acredito que a pessoa em processo de luto pelo suicídio transfere a culpa para si, sobretudo quando se sente responsável pela morte da pessoa. Recorro novamente à experiência de Olga – estudante de Direito –, pois durante a entrevista pude aprender a diferença entre culpa e dolo.

Ela explicou que o dolo acontece quando você quer causar algum dano, ao passo que a culpa ocorre de forma não intencional, e exemplificou: "Quando você atira em uma pessoa e quer matar, age com dolo. Já se você estiver dirigindo, causar um acidente totalmente sem querer e o outro motorista morrer, é um homicídio culposo. A culpa é isto: você não objetivar aquele resultado".

É difícil parar de se condenar, sobretudo quando se pensa que seria possível ter feito algo diferente do que fez para manter a pessoa que se matou ainda viva. Nesse sentido, penso que a culpa seja uma estratégia de "manutenção" para que a pessoa que se matou continue em pensamento e em sentimento, ou seja, é possível que a culpa, ao mesmo tempo, atormente e ajude a manter a pessoa que se matou presente.

A culpa envolve muitos "deverias" e pouca compaixão pelas ações que foram possíveis para dar conta dos momentos de fúria, de conflito, de mágoas e de ressentimentos, tanto que "poderia", "falaria", "faria", "teria" revelam seu fator condicional. Enfatizo, portanto, que a culpa é a falsa ilusão de que poderíamos modificar o cenário traumático se tivéssemos feito tudo diferente. Em alemão, culpa é *schuld*, palavra derivada de *sculd*, ou seja, aquilo que falta e "é realmente algo que sempre e perpetuamente falta na vida do ser humano" (Boss, 1988, p. 31). Dessa forma, a culpa significa dívida e impossibilidade de escolher. Nesse sentido, culpa é a ideia distorcida de que o enlutado tem total responsabilidade por tudo que aconteceu, subestimando o fato de que quem se matou agiu única e exclusivamente por si, sobretudo quando houve planejamento do suicídio – o que significa dizer que quem se matou queria que a situação se desenrolasse exatamente como "desenhou". Em resumo, culpa é a negação da percepção de que o suicídio é um ato único e exclusivo daquele que se mata.

Fine (2018, p. 84) menciona o fato de ter se responsabilizado pelo suicídio do marido: "Acima de tudo, responsabilizei a mim mesma: parecia inconcebível que minha energia vital não tenha sido suficientemente forte para mantê-lo vivo". Em contrapartida, há aqueles que compreenderam que não havia nada a fazer pela pessoa amada que se matou, que ninguém é culpado pela morte de outrem e que é necessário evitar acusações.

ACUSAÇÕES

Quando um suicídio acontece, é comum a família receber acusações de outras pessoas. Exemplos: "a família não soube dar assistência", "tem gente doida na família" ou esta "não tem fé em Deus". Esses julgamentos escancaram o preconceito e provocam isolamento no enlutado e o afastamento de quem poderia estar junto em um momento tão difícil.

O sofrimento é causado porque o enlutado amava e queria que o ente querido ainda estivesse vivo. No entanto, a sensação compartilhada pelos entrevistados é a de que quem se matou não pensou em nenhum momento no sofrimento deles. Alguns depoentes entendem que seus amados não tinham nem como pensar. Outros disseram que queriam entender esse processo e que haveria outras formas de pedir ajuda. Entre acusação e culpa, eles seguem uma trilha de sentimentos confusos e, por vezes, atordoantes, sobretudo quando raiva e revolta emergem.

RAIVA E REVOLTA

Com a falta de explicação, é possível que o enlutado se sinta traído por quem se matou e com raiva dele, não o poupando do episódio traumático. Wilma explicita esse sentimento ao mencionar uma fala da mãe sobre o suicídio do pai: *"Seu pai me deu uma punhalada nas costas"*. Dá raiva quando nos sentimos impotentes, não poupados, ameaçados em nossa integridade e temos de viver situações nunca imaginadas.

Alguns suicídios foram percebidos pelos enlutados como uma afronta, sobretudo quando o local escolhido para o ato foi o espaço compartilhado por anos – caso de Fernanda, cujo ex-companheiro se matou no dia em que se separariam e ele sairia de sua casa. Ela acredita que ele quisesse dizer: "Sou eu quem tenho de dar a palavra final sempre. Você vai ver de que jeito eu vou dar essa palavra final. Você não vai se esquecer mais de mim. De mim você não se esquece mais".

Também com Fernanda aprendi que quem se mata escolhe o local e a maneira de fazê-lo, o *modus operandi*, como ato de comunicação, pois seu ex-companheiro escolheu se matar na varanda, um de seus locais favoritos. Ele optou por um lugar onde ela gostava de ficar e sabia o horário em que ela o encontraria morto. Nesse sentido, a raiva do enlutado expressa indignação pela falta de consideração daquele que se matou.

Outros enlutados falaram sobre sua revolta por terem sido colocados em lugares inóspitos e indesejados. Lugares em que não pediram para estar e nos quais tiveram de ficar durante certo tempo até entenderem minimamente o novo solo fragmentado no qual foram lançados. Há de se considerar a revolta de alguns dos filhos que tiveram de amadurecer precocemente, assumindo responsabilidades que não pediram. Foi este o caso de Carmen, emancipada aos 16 anos em virtude do suicídio da mãe, cuja vida ficou extremamente complicada por ela ter de assumir responsabilidades muito cedo.

> Sempre tive muita revolta, porque tive de assumir uma nova responsabilidade – eu era a mais velha das filhas e a raiva acontecia por fases. Foi passando. Fui mastigando aquilo, me perguntando: "E se minha mãe tivesse se matado quando eu tivesse 15, 20 e poucos anos? Será que eu teria a mesma raiva?" Porque, quanto mais você convive, menos você entende. E já que ela tinha de fazer, que ela fizesse, acho que ela fez na época certa. Minha mãe quis morrer? Eu acho que em momento nenhum ela pensou em mim nem na minha irmã. Acho um absurdo isso. Então, minha revolta é por causa disso, é porque acho que tudo de ruim que aconteceu comigo eu acabo culpando o suicídio da minha mãe.

Neste estudo, raiva e revolta foram tratados como sinônimos, porém não os percebo assim. Não se trata apenas de diferenciação semântica, mas também de direcionamento das ações em relação aos sentimentos. Segundo o *Michaelis – Dicionário escolar da língua portuguesa* (2008, p. 721), raiva significa "violento acesso de ira, com fúria e desespero". E, como disse Margarete, cuja sogra se suicidou,

> quando você está tentando entender o processo do suicídio, muitas vezes tem raiva da pessoa que se suicidou, critica o ato, critica a personalidade, e isso é algo que me incomoda até hoje. Porque acho que existe um preconceito a respeito daquele que se suicida. Ele é tido como a pessoa má da história e não exatamente é. Eu entendo a raiva, mas não necessariamente ela tinha uma personalidade ruim e fica essa imagem.

A revolta, por outro lado, parece envolver indignação e um processo pelo qual se acredita que a situação poderia ter sido diferente, sobretudo quando endereça o sentimento para outra pessoa ou situação com o intuito de "dialogar". No *Michaelis* (2008, p. 750), revolta é definida como "levante, motim, rebelião; sublevação, insurreição". Assim, acredito que a diferença entre raiva e revolta está na intensidade e no que acontece como ato ou intenção.

O ESTRANHO ALÍVIO

Dando continuidade aos estudos iniciados no doutorado (2009--2013), cunhei o termo "estranho alívio" para me referir ao fato de as pessoas terem ficado exauridas pelo processo ocorrido antes, durante e depois do suicídio. É a forma como compreendo o alívio sentido depois da morte de seus entes queridos.

> O adjetivo estranho foi citado não como um julgamento, porém como uma observação da dificuldade de se aceitar a sensação de alívio experimentada quando o suicídio do pai/mãe acontece, uma vez que o sofrimento acabou e a linha de estresse, de tortura foi cortada. (Fukumitsu, 2013b, p. 255)

Cabe ressaltar a importância de legitimar o sentimento do estranho alívio como natural do processo de luto por suicídio, compreendendo em que sentido esse alívio se dá.

Wilma relatou "dois suicídios" do pai: o primeiro, não consumado, ocorreu em novembro de 1977, quando ela tinha 16 anos; o segundo – e definitivo – aconteceu em 1991. Ele e sua mãe haviam se separado e o pai foi morar com sua avó. Antes da primeira tentativa, o pai ligou para ela dizendo que a amava e, no dia seguinte, o irmão o encontrou na imobiliária em que trabalhavam juntos, deitado, pois tinha tomado uma grande dose de anticonvulsivantes. Em virtude de estarem vencidos, a morte não foi consumada.

Seu irmão, seis anos mais velho, pegava todo o dinheiro do pai e arrumava dívidas, até que certo dia o pai o esperou com um oficial de justiça "para lhe dar um susto"; no entanto, o rapaz não foi preso e sua má conduta persistiu.

Certo dia, o pai de Wilma trancou a cozinha, vedou as janelas com papelão e acendeu o gás. Ao voltar de um aniversário com a mãe, ela imediatamente percebeu o que estava acontecendo. Assim que sentiu o cheiro de gás no ar e viu as janelas fechadas, Wilma diz ter se lembrado do que o pai costumava dizer: que elas deveriam morrer junto com ele, porque assim as estaria protegendo – evidência de quanto ele estava desequilibrado. Wilma afirma que, antes de se matar, o pai estava insuportável, incomodava demais, e acrescenta: "Eu me senti aliviada. O sentimento inicial foi de alívio, como o de um furúnculo que é lancetado. A tensão daqueles meses todos, a minha loucura de trabalhar desatinadamente, tudo aquilo acabara".

Reafirmo que o estranho alívio faz parte do processo de luto do sobrevivente, pois se refere à interrupção das tentativas recorrentes de suicídio, cujas principais consequências são a angústia e a vigilância.

Alguns dos enlutados compartilharam lembranças de uma vida conturbada e difícil na interação com quem se matou

– memórias de estranhamento diante das ações e reações da pessoa e, principalmente, recordações dolorosas que fazem do passado um tempo ao qual não queriam retornar. Alguns relataram experiências amargas do passado, permeadas de brutalidade, agressividade e muita dor. Memórias que se fixaram nas lembranças das situações trágicas.

Além disso, destacaram que atitudes extremadas e intempestivas, destrutividade e emoções intensas faziam parte do cotidiano. Segundo eles, embora considerassem que a pessoa estava gravemente enferma com transtornos mentais, tais como depressão aguda, esquizofrenia, transtorno bipolar e *borderline*, insistiram para que ela aceitasse ajuda profissional e passaram anos tentando tirá-la do "fundo do poço". Além de zelar por quem se mostrava constantemente vulnerável e frágil, sentiram-se na obrigação de cuidar da própria vida. Nesse sentido, percebo o alívio como representante do findar do caos, do estresse e das principais dificuldades.

4. Dificuldades dos enlutados: caminhos para o cuidado

EM MEUS ESTUDOS, IDENTIFIQUEI algumas das principais necessidades dos sobreviventes enlutados por suicídio. Aqui, destacarei quatro delas: o não falar (tabu e preconceito); o medo da repetição do suicídio na família; exposição *versus* preservação; problemas relacionados com os processos burocrático, jurídico, financeiro e emocional.

O NÃO FALAR: ESTIGMA, TABU E PRECONCEITO

Smith (2013, p. 4, tradução nossa) aponta que, após o suicídio, diversos problemas aparecem; alguns deles "[...] surgem da ignorância, do estigma e de mitos que precisam ser ressignificados". O tabu e o preconceito em relação ao suicídio predominam e se destacam como um dos maiores impeditivos para sua prevenção. Por esse motivo, merecem atenção especial.

O estigma torna a jornada do enlutado um processo desgastante por este ser discriminado. Muitos mencionaram os prejuízos causados pelo julgamento alheio, pela falta de privacidade e pelo desrespeito.

Quênia, cujo pai se matou quando ela tinha 3 anos, ajudou-me a constatar o estigma do suicídio quando contou que somente aos 17 anos ficou sabendo da causa de sua morte. Na ocasião, o irmão disse que guardava um vidro de arsênico perto da cama, pois também pensava em se matar. Assim que a mãe de

Quênia descobriu o planejamento suicida do garoto, revelou à filha: "É porque seu pai se matou". Para Quênia, foi como viver um "drama mexicano". Não estava esperando". Acredita que a ausência de oportunidades para conversar a respeito do suicídio a prejudicou, pois, como era muito pequena quando da morte do pai, precisou resgatar aos poucos sua história – e, embora não se lembrasse dele, sempre buscou identificar-se com ele. Nessa direção, ao tentar conversar com qualquer pessoa da família, tinha a esperança de que lhe contassem sobre o pai, sobre o fato de ele ter se matado, mas ninguém falava nada sobre o assunto. Acredito que o que mais pode ferir um enlutado pelo suicídio é o fato de as pessoas ao seu redor tornarem o nome de quem suicidou um tabu – caso de Margarete, cuja sogra suicidou: "Acho que as pessoas não se esquecem de quem se matou, mas não querem falar sobre". Além disso, é preciso salientar que os enlutados ouviram comentários injustos a seu respeito e a respeito da pessoa que se matou. Falaram sobre o incômodo sentido quando viram postagens e notícias divulgando que "fulano de tal se matou". O desconforto é agravado quando leem comentários: "Ah, que idiota", "Ah, mas é um fraco mesmo", "Ah, que frescura". Ressentem-se quando percebem que alguns indivíduos enxergam o suicídio como "frescura, egoísmo ou falta de Deus no coração".

Deixar de falar sobre quem morreu é desnorteante para alguns sobreviventes, pois o desamparo acaba se ampliando para outras pessoas que serviriam como heterossuporte. Ou seja, o apoio externo deixa de ser procurado pela pessoa em luto por esta pensar: "Quem eu amava 'sumiu' abruptamente. Logo, para que falarei se não me sentirei ouvido?" Assim, tabu e silenciamento desencadeiam desamparo e a interdição da comunicação no enlutado se inicia. Porém, quanto menos se fala, mais as fantasias aumentarão, e isso diz respeito a outra dificuldade apontada no processo de luto: a fantasia de que outro suicídio será repetido na família.

O MEDO DA REPETIÇÃO DO SUICÍDIO NA FAMÍLIA

Suicídio é contagioso? Como explicar vários suicídios que acontecem na mesma família? Seria um fenômeno hereditário?

E mesmo presumindo que possa ser demonstrado que o suicídio é hereditário, pelo menos em parte, surgem imediatamente outras perguntas: o que, exatamente, está sendo transmitido de uma geração para a seguinte? Existem genes específicos que tornam um indivíduo mais propenso ao suicídio? Ou há uma tendência maior apenas pela transmissão das predisposições genéticas para as condições psiquiátricas mais intimamente vinculadas ao suicídio – depressão, depressão maníaca, esquizofrenia e alcoolismo –, todas elas, em especial os distúrbios de humor, sabemos ter uma forte base genética? Existem genes específicos associados com certos aspectos do temperamento – impulsividade, agressão e violência – que sabemos ser também previsores do suicídio? Uma combinação particularmente letal de propensões genéticas pode muito bem resultar de um temperamento imprevisível subjacente misturado com, ou desencadeado por mania, psicose ou alcoolismo. (Jamison, 2010, p. 153)

O temor da repetição do suicídio dos familiares ficou evidente nos relatos que identificaram semelhança entre seus comportamentos ou de seus familiares e o das pessoas que se mataram. Segundo Carmen, ela e seu pai temiam que a irmã repetisse o ato suicida da mãe. Conta que certo dia o pai perguntou: "Vocês pensam nisso?" Ela respondeu: "De jeito nenhum". No entanto, quando a irmã teve depressão, eles ficaram muito preocupados com a possibilidade de ela se matar. Carmen também mencionou temer que alguma coisa acontecesse se ela caísse no banheiro (sua mãe cortou a jugular ali) e morresse. "Eu morro de medo. Você já pensou se a louça quebra quando eu lavo o banheiro? É privada e aquilo mata. Já pensou se isso quebra? Eu morro de medo de cair no banheiro".

Embora a fantasia de repetição seja recorrente em alguns dos enlutados, ao ultrapassar a idade que a pessoa tinha quando se matou eles se sentem mais aliviados. É o que se pode identificar no relato de William, sobrevivente do suicídio do pai:

> [...] sempre tive medo de seguir os passos do meu pai. Eu associo muito o suicídio dele à solidão. E tenho me isolado muito ultimamente de um ano para cá. O que eu vou te falar agora é muito bom – sobre as datas, você sabe que o meu pai se matou com 39 anos. Ia fazer 40 anos 21 dias depois, em 1º de janeiro. Quer dizer, essa data era presente na minha cabeça, a ponto de eu ter calculado exatamente qual seria o dia em que ultrapassaria meu pai em longevidade. Isso ocorreu em fevereiro do ano passado, quando fiz 40 anos. No dia em que ultrapassei meu pai, foi bem consciente, vi o dia chegar.

Dessa forma, o medo sinaliza aquilo que é ameaçador, mas a vida serve como confirmação de que nem sempre repetiremos processos autodestrutivos familiares. Assim, constatamos que o instinto de preservação existe, sobretudo, em situações de grande exposição, como é o caso do suicídio.

EXPOSIÇÃO *VERSUS* PRESERVAÇÃO

Quando um suicídio acontece na casa da pessoa, repentinamente o local fica lotado de gente. O suicídio é o caos que retira temporariamente os limites do enlutado. Quando ocorre uma morte por outro tipo de causa – por exemplo, câncer –, os limites de tempo e de espaço são assegurados e respeitados. Mas, quando um suicídio acontece em casa, as pessoas curiosas se sentem à vontade para entrar e ver a cena trágica. Essa é uma ilustração daquilo que Kovács (2003, p. 141) chama de morte escancarada, a qual "invade, ocupa espaço, penetra na vida das pessoas a qualquer hora. Pela sua característica de penetração, dificulta a proteção e o controle de suas consequências: as pessoas ficam expostas e sem defesas".

Outro tipo de exposição a ser evitado diz respeito aos cuidados com a divulgação irresponsável do suicídio. Alguns enlutados que não tinham conhecimento sobre a morte de seus entes queridos ficaram sabendo pela mídia, como foi o caso de Julia, que viveu uma avalanche de más descobertas no dia da morte do pai: o suicídio e o fato de que a mulher com quem conviviam era amante dele havia anos. Ela relembra que o caso foi parar no rádio:

> *Eu estava namorando um rapaz que depois virou meu marido, mas naquele momento era um relacionamento hipercasual. Fiquei grávida desse rapaz, estava com cinco meses quando o suicídio aconteceu. Meu marido foi buscar os pais dele para irem ao enterro. Eu não os conhecia, aliás, nunca tinha ido à casa dele. E aí a mãe dele, uma senhora muito simples [...] ouvia esse programa. Acho que ela ficou impressionada com aquilo tudo, tanto é que foi a primeira coisa que ela me disse quando eu a conheci. Parece coisa de novela isso. Piadas à parte, a primeira coisa que ela me disse foi que tinha escutado aquela tragédia: "Nossa! O caso do seu pai está no rádio. Ai, Jesus, pelo amor de Deus!" Eu já devia ter percebido naquele momento que a coisa não viraria bem entre nós. Mas, enfim, foi assim. Junta o meu pai ter morrido, o mico de ter saído em rádio sensacionalista e ainda a futura sogra falar um negócio desse para você. Eu fiquei com muita vergonha; foi péssimo.*

Alguns enlutados relataram que em certos momentos se sentiram invadidos, desrespeitados e obrigados a dar respostas que nem eles encontravam; por esse motivo, enfrentaram a falta do que dizer distanciando-se de tudo que lembrasse o suicídio. Destacaram que pouco se fala sobre esse ato e sobre a pessoa que se mata, inclusive entre a família. Nessa direção, acredito que três aspectos se configuram no processo de luto por suicídio: isolamento, silenciamento e solidão. Explico. Algumas pessoas acreditam que, se não falarem, se esquecerão do sofrimento. No entanto, o não compartilhar o que de fato aconteceu provoca isolamento, o que acentua a sensação de falta de pertencimento. É o silenciamento da dor que potencializa o sofrimento e a solidão do enlutado.

PROBLEMAS RELACIONADOS COM OS PROCESSOS BUROCRÁTICO, JURÍDICO, FINANCEIRO E EMOCIONAL

> A maioria dos sobreviventes não está preparada para as questões práticas que se seguem ao suicídio. Ninguém consegue imaginar que a polícia vá interrogá-los sobre as circunstâncias que envolvem a morte de um pai, ou que o sacerdote vá impor condições a respeito do funeral de uma filha, ou que o tribunal vá questionar a legitimidade do testamento de um marido. Além disso, a classificação do suicídio como crime tem uma implicação psicológica que dificulta a reação à morte de um ente querido. (Fine, 2018, p. 113)

Os sobreviventes comentaram as dificuldades que o familiar encontra após a ocorrência de um suicídio: encaminhamentos ligados ao corpo, dificuldades relacionadas com os trâmites do IML e a demanda de terem de resolver situações burocráticas.

Zélia descreveu suas dificuldades ao receber a ligação do IML para comunicar que seu filho fora encontrado morto e ao receber o laudo sobre a morte dele:

> *E veio o cara do IML querendo resolver tecnicamente o que fazer com meu filho: "Eu o levo para onde? Vocês vêm buscar o corpo?" Fazia perguntas, mas eu falei: "Como é que ele está? Ele está bem?" "Aqui é do IML", ele respondeu. E começaram aquelas providências. Meu marido disse algumas coisas, deu um berro na sala. Eu no telefone falando com o cara. E eles fazendo aquelas perguntas de como é que ia resolver. "Eu não sei!" Não sabia nem do que estavam falando. Demorou para fazer toda a autópsia. A gente pensou que meu filho tenha consumido alguma substância para se encher de coragem, mas nada constava como substância ingerida. Porque cada um falava uma coisa. Será que ele não usou uma dose exagerada de álcool? Medicação? Droga? Nos laudos técnicos não constava nada disso. [...] Até então, eu não conhecia esses laudos. É tudo tão especificado. Toda a parte da frente do corpo, de trás, a interna, os órgãos, tudo ali, como é que está, como foi encontrado. Tinha umas fotos e eu não consegui olhar para elas. Mas, de longe, quando o meu marido levantou a foto, eu vi, assim, pela sombra. [...] Aquele*

querer olhar e não querer, sabe? Meu filho estava de bruços. No laudo, tudo isso tem uma explicação: movimento das ondas, o horário em que ele foi encontrado, o jeito como o corpo estava. Lá na praia tem uma pocinha da água em que meu filho deve ter se deitado e permitiu que as ondas viessem. Não houve, assim, uma queda, porque nessa praia tem muitas pedras. [...] é um lugar muito bonito, da natureza. No laudo não constavam hematomas, batidas, quebrados, nada. [...] Não tinha marcas no corpo. Então, eliminaram essa possibilidade de ele ter se jogado sobre as pedras.

Em contrapartida, quem tem contato com alguém que conhece os trâmites do IML e da investigação por suicídio por ter vínculos com policiais burla a verdade para evitar quaisquer constrangimentos de exposição e comentários acusatórios, como relatou uma das depoentes. Segundo ela, a notificação da "morte por suicídio" de seu ente querido foi modificada para "morte indeterminada".

Acredito que toda *dificuldade* gera uma ou mais *necessidades*, que por sua vez direcionam possíveis formas de *cuidado* que favorecem as *ressignificações do suicídio* e as *intervenções* para o trabalho de prevenção e posvenção. Nesse sentido, foi com base nas quatro principais dificuldades mencionadas neste capítulo que propus as intervenções mencionadas a seguir.

5. Cuidados e propostas interventivas para prevenção ao suicídio e posvenção no Brasil

> "A gente tem de cuidar por escolha e não por fatalidade." [Nívea, cuja mãe suicidou]

PARA ELABORAR ESTE CAPÍTULO, considerei a definição de "cuidado" e de "intervenção", bem como o levantamento das principais dificuldades e necessidades mencionadas pelos enlutados. Se a principal missão é a de ampliar as ações preventivas, como vimos na Introdução, as palavras "cuidado" e "intervenção" se mostram adequadas à proposta desta obra. Segundo o *Minidicionário Houaiss da língua portuguesa* (2010, p. 212, grifos nossos), "cuidado" significa: "1. aprimoramento; bem--feito; 2. *atenção especial; cautela*; 3. *desvelo que se dedica a algo ou alguém*". Já para a palavra "intervenção", julgo que o significado mais pertinente para o estudo foi "4. ação ou fato de emitir opinião em um debate, uma discussão etc." (2010, p. 447, grifos nossos).

Dessa forma, o processo do enlutado por suicídio abrange investimento emocional e requer atenção e desvelo precisos para o acolhimento do sofrimento. Então, indago: quem cuidará das pessoas que foram impactadas pela morte trágica e repentina? Quem conversará com o sobrevivente sobre sua experiência? Como delimitar os principais cuidados a ser direcionados àqueles que sofreram o impacto de uma morte violenta e inesperada? Como acolher aquele cuja vida foi dilacerada? Como lidar com a diversidade de sentimentos que surgem nesse processo? Essas foram algumas das questões presentes na discussão que direcionou meu foco para as propostas interventivas a seguir.

INTERVENÇÕES PARA MINIMIZAR O ESTIGMA, O TABU E O PRECONCEITO

Segundo Shneidman (1985, 1993, 1996, 2001), um dos principais focos da posvenção é o acolhimento da diversidade de sentimentos e pensamentos que o suicídio do ente querido pode desencadear, entre os quais: culpa, raiva, ódio, mágoa, medo, indignação, revolta, vergonha, sentimento de abandono e de impotência (Stillion, 1996; Jamison, 2010; Shneidman, 2008; Fukumitsu, 2013a, 2013b; Fukumitsu e Kovács, 2015 e 2016). Porém, nem sempre o acolhimento é oferecido ao enlutado por suicídio – muitas vezes, a família e os amigos mais próximos são apontados como os provocadores do ato. As acusações podem acionar mais sofrimento naquele que já vivencia um *tsunami*.

O sobrevivente do suicídio lida com o estigma e com o preconceito, reforçados pela vergonha de mencionar a causa da morte e pelo receio de se sentir acusado e julgado. Trata-se de um emaranhado de dor, preconceito, vergonha, tabu, curiosidade e desamparo. Devemos, portanto, adotar um olhar mais respeitoso e de acolhimento em relação aos que se mataram e aos que foram impactados pelo suicídio de pessoas amadas.

Comentários indevidos, como "Faltava Deus na vida dele" ou "Ela não tinha direito de evoluir", provocam ainda mais desamparo. Lembremos que a pessoa em processo de luto tem de enfrentar sentimentos ambivalentes e fortes que são agravados pelo julgamento do ato suicida por pessoas de seu entorno. Além disso, surgem pensamentos como "Falar para quem? Ninguém entende mesmo, então não falo", o que aumenta o isolamento dos enlutados. Em contrapartida, as pessoas se afastam por não saberem como se comportar, o que falar, como agir e o que fazer com eles.

Endosso que os comentários são possivelmente o que mais atinge o enlutado. Nessa direção, minha primeira proposta é a de repensar a linguagem necessária para o acolhimento e o cuidado.

REFLEXÕES SOBRE A LINGUAGEM DO ACOLHIMENTO E DO CUIDADO

É preciso utilizar uma linguagem respeitosa, e a suspensão de julgamentos e de acusações deve ser a primeira preocupação nas ações da posvenção.

Há muito tempo aboli a palavra "suicida" e o verbo "cometer" do meu vocabulário. Acredito que a palavra "suicida" coloca a pessoa em uma condição reducionista na qual ela será conhecida unicamente por seu ato e não por sua história. Assim, categorizar uma pessoa como "suicida" significa confundi-la com sua ação. Já o verbo "cometer" parei de utilizar em 2013, quando li o trabalho no qual Smith (2013) menciona que ele está associado ao crime ou a um pecado. Endosso, portanto, que a maneira como a pessoa morreu não pode significar quem ela foi.

Enfrentar o baque de nunca mais ver a pessoa amada é difícil. Reconheço que a experiência do suicídio de alguém que se ama é tão traumática quanto transformadora, pois o enlutado precisa de tempo para se recompor. Para tanto, aponto condutas a ser evitadas após um suicídio.

O QUE DEVE SER EVITADO APÓS UM SUICÍDIO

Em estudo anterior (Fukumitsu, 2008), mencionei algumas condutas desejáveis no processo de luto: em vez de explicar, oferecer a compreensão dos sentimentos e compartilhar com a pessoa aquilo que viveu com o morto; em vez de dar respostas, acolher; e, em vez de oferecer teorias sobre o luto, confirmar a vivência singular daquele que morreu.

Será necessário que o enlutado filtre o que ouve e que não aceite tudo que escuta como verdade.

A não ser que a pessoa em luto peça, devemos evitar modificar o cenário traumático, pintando os cômodos da casa, retirando pertences e doando as roupas do morto. O enlutado deve ser respeitado em seu tempo singular para que ele próprio se encarregue de se desfazer das coisas de quem morreu. Nesse sentido, considero importante não fazer *pela* pessoa em luto, mas *com* ela. Quando o enlutado estiver pronto, cuidará de tudo por conta própria ou pedirá ajuda, se necessário. Além disso, devemos evitar: dar conselhos; fazer comentários moralistas sobre a pessoa que morreu; subestimar a perda, comparando-a com outras perdas e falando de si próprio em vez de escutar o enlutado; determinar um tempo para o processo de luto; e atribuir novas responsabilidades imediatamente (Maine Suicide Prevention Program, 2012).

Vimos que é comum o enlutado se sentir culpado pelo suicídio. Por isso, quando ouvimos que ele sente culpa, é incorreto dizer: "Não sinta culpa". Ao contrário, é preciso fazer a pergunta: "Do que você se culpa?" A partir dessa questão, o enlutado poderá, por meio das ruminações, reinvestir energia em si e reintegrar sua potência. Em outras palavras, aquele que se percebe impotente pela morte do outro poderá, por meio da culpa, reativar sua potência. Explico.

O antídoto para a culpa é o fortalecimento das ações do aqui-agora. Agimos como é possível no momento em que a situação acontece. Não conseguimos antecipar como agiremos e, por isso, precisamos compreender que nossas ações são respostas que acontecem em um tempo e em um espaço nos quais temos prontidão e maturidade.

É só depois de ouvir do que a pessoa sente culpa que trabalho com a ideia de que tenho certeza de que, se o enlutado soubesse do desfecho da morte por suicídio, teria feito tudo diferente. O enlutado faz o que pode, indo além do que imaginava. Por esse motivo, tem todo o direito de sentir e de pensar como sente e pensa, lembrando que "o sentido pertence ao 'sentidor', a quem considero aquele que sente a dor" (Fukumitsu, 2014, p. 59). Acredito que a pessoa enlutada tenha o direito de compartilhar seus sentimentos sem que se sinta acusada, difamada ou julgada pelo fato de ter um familiar ou amigo que se matou.

A interdição, portanto, deve ser desmistificada e tratada com respeito e cuidado. Para tanto, sugiro que familiares e amigos não impeçam que a pessoa em luto fale sobre o ente querido que se matou nem pare de ver o enlutado. Tornar o nome daquele que se matou tabu também diz respeito à interdição da comunicação do luto pelo suicídio; portanto, se o enlutado mencionar o nome dessa pessoa, aceite, acolha e continue o diálogo. Caso contrário, o enlutado poderá sentir que todo mundo quer esquecer a pessoa, causando a sensação de que ela nunca existiu – ou, como publicado na página Grief Speaks Out[1] [O luto fala]: "Não existe melhor presente do que perguntar à pessoa enlutada sobre quem se foi. E, então, apenas escutá-la" (tradução nossa).

Os enlutados por suicídio tiveram de aprender a ser diferentes das pessoas que eram antes de a morte acontecer. Tiveram de suportar o medo de não tolerar a saudade. Foram obrigados a acreditar que, embora a morte levasse a pessoa, nunca levaria a importância atribuída àquele que morreu. Foram impelidos a estar atentos às necessidades mais essenciais para continuar vivendo. Foram obrigados a aprender a lidar com o medo do desconhecimento e com os próprios receios.

INTERVENÇÕES PARA LIDAR COM O MEDO DA REPETIÇÃO DO SUICÍDIO NA FAMÍLIA

O medo é reação a qualquer ameaça. É importante termos medo. Acolhendo esse sentimento, podemos identificar a direção do que nos fere e, assim, criar estratégias para nos proteger. Porém, cabe salientar que "medo comedido é importante, mas medo exagerado bloqueia nossas ações" (Fukumitsu, 2015, p. 246).

---

[1]. Disponível em: <https://www.facebook.com/GriefSpeaksOut/>.

Assim, como poderíamos pensar em ressignificações para lidar com o medo de repetição do suicídio? Mesmo que esse receio tenha sido apontado como uma das dificuldades dos enlutados, penso que o suicídio não é hereditário. Os enlutados que compartilharam medos e fantasias sobre a possibilidade de repetição de outro suicídio na família ou de que um dia pudessem se matar expuseram que, a partir das ressignificações a respeito do suicídio, existe a possibilidade de mudar padrões autodestrutivos, comportamentos disfuncionais familiares e descobrir modalidades de enfrentamento.

Penso que a autodestruição é a repetição que persiste para revelar disfuncionalidades no comportamento e um pedido para que algumas mudanças sejam realizadas. Como afirma Tobin (1977, p. 161), "a reação de 'persistência' serve para inibir as emoções pela perda e manter a pessoa presente em fantasia (*ranging-on*)". Dessa maneira, a tendência de voltar para o conhecido, mesmo que este seja disfuncional, pode ser compreendida como forma de evitação da mudança pelo fato de a pessoa ainda não se sentir pronta para sair da zona de conforto. Primeiramente, é preciso auxiliar a pessoa em luto a discriminar as semelhanças e diferenças entre ela e o indivíduo que se matou. Nessa direção, é preciso enfatizar a compreensão da transmissão psíquica transgeracional, sobretudo porque acredito ser possível mudar o comportamento autodestrutivo.

TRANSMISSÃO PSÍQUICA TRANSGERACIONAL

Quando a morte dos pais acontece na infância do filho, é comum que este conflua com seus genitores, acreditando ser herdeiro inclusive da personalidade deles. Assim, o filho tem nos pais referências de ser, de se comportar e de interagir com outras pessoas. Logo, acredita-se que o suicídio "corre nas veias". Fox e Roldan (2009, p. 22), em sua pesquisa com 11 filhos(as) de pessoas que se mataram, investigaram se eles se "preocupavam 'sempre', 'ocasionalmente', 'raramente' ou 'nunca'" com a possibilidade de se matar assim ou com a possibilidade de alguém da família cometer esse ato. Os dados mostraram que seis participantes tinham receio de apresentar transtornos mentais e quatro de se matar; três apontaram medo de que os familiares tivessem transtornos mentais e um deles afirmou que seu medo de que outra morte na família ocorresse havia "se tornado realidade" (um de seus parentes se matara).

É preciso assegurar que, apesar da familiaridade com quem se matou, a história do sobrevivente pode ser completamente diferente da de quem se suicidou. Dessa forma, são necessários diferenciação e autoconhecimento para que o enlutado consiga identificar/conhecer suas características e buscar pessoas que promovam a aprendizagem de modelos interativos funcionais. Em outras palavras, nenhum suicídio é hereditário, mas aprendemos os processos autodestrutivos e podemos reaprender a dissolver as cristalizações de comportamentos que nos fazem sofrer.

Sintetizando, o suicídio em repetição no sistema familiar deve ser compreendido em pelo menos três aspectos: 1) os transtornos mentais, tais como depressão, esquizofrenia e transtorno bipolar, são genéticos, mas não o comportamento suicida; 2) são os temperamentos relacionados com os tipos de personalidade impulsiva e agressiva que sugerem tendência para repetições dos comportamentos autodestrutivos, os chamados contextos suicidogênicos apontados nos estudos de Krüger e Werlang (2010); 3) o comportamento suicida está relacionado com a maneira como as pessoas lidam com as adversidades. Com o passar do tempo, o enlutado poderá perceber que a dúvida e o medo fazem parte da vida e que ninguém é responsável, culpado ou mera repetição da história de quem se matou. Exatamente por esse motivo creio na oferta de espaços para que a escuta favoreça que as fantasias dos enlutados sejam trabalhadas.

O estar junto e a possibilidade de sentir presença na ausência de quem se retirou da vida abruptamente são cruciais. Sentir-se perdido é difícil, mas sentir-se perdido solitariamente, abandonado ou deixado para trás após um suicídio é mais difícil ainda. Com o acolhimento e o apoio recebidos, o sobrevivente conta e reconta para outros e para si a história trágica que experienciou para tentar transformar o cenário que antes parecia imutável. A cena da morte, bem como o cheiro, a imagem, a escuta e o dissabor, permanece. No entanto, cada vez que o enlutado compartilha sua história poderá ressignificar o que foi memorizado de um jeito diferente.

> A dor virou esquisitice e adoecemos de solidão. Há pouco espaço para a escuta: a fala do outro é sempre mais importante e urgente que a nossa. É necessário falarmos das estações da terra, do tempo de plantar, semear e desabrochar, nos presentearmos com olhos para o entardecer, ouvidos para os sons do mundo, sensibilidade para a vida que reside na vida. A dor precisa de colo, sopa e cobertor, pede cafuné, ouvidos e abraços, implora que os relógios sejam quebrados para que a paz se entrelace aos dias que passam. Assim entenderemos que o fechamento de ciclos se demora porque está ligado ao tempo do amor. Dar adeus é um exercício que pede memória, coração e compreensão de quanto somos incertos nas nossas certezas. (Gouvêa, 2018, p. 186)

A dor parece aproximar as pessoas, e muitos dos enlutados comentaram a importância de a família se apoiar e permanecer junta durante o ritual, o velório, o enterro e o período pós-suicídio. Assim, a necessidade de laços afetivos que assegurem que a pessoa não está sozinha nessa trajetória foi considerada importante na fala dos enlutados. Eles relataram que oferecer apoio também faz bem. Saber que a pessoa em luto pode contar com pessoas acolhedoras nas horas mais difíceis faz toda diferença.

Algumas das pessoas em luto passaram a vida inteira tentando encontrar respostas para a situação dificílima que é o suicídio e encontraram na família, nos amigos e em grupos de apoio forças para continuar seu percurso mesmo sem dirimir suas dúvidas. Ressalto, portanto, que outra forma de intervenção direcionada para o acolhimento é a criação de grupo de apoio. É comum receber pedidos de orientação para a criação de grupos de apoio; por esse motivo, discorrerei mais sobre a proposta de sua implementação para sobreviventes enlutados por suicídio.

IMPLEMENTAÇÃO DE GRUPOS DE APOIO PARA SOBREVIVENTES ENLUTADOS POR SUICÍDIO

> Pensei no estranho vínculo que une os sobreviventes do suicídio. Embora cada uma das situações seja única, todos passamos por etapas semelhantes em nosso processo de luto. Quando conhecemos alguém que passou por isso, nosso caos pessoal e nosso segredo parecem um pouco menos assustadores. (Fine, 2018, p. 13-14)

Acredito que o grupo de apoio aos enlutados pelo suicídio amplia a proposta de acolhimento ao sofrimento. Incentivo que grupos de apoio aos enlutados sejam cada vez mais numerosos no Brasil, porque, além de favorecer a escuta, podem, por meio da troca de experiências, auxiliar o enlutado na ressignificação de seus sentimentos e pensamentos e na descoberta de novas formas de compartilhar sua dor, rompendo os padrões de silêncio e dos segredos. Além disso, informações sobre suicídio e fatores de riscos e de proteção são comumente oferecidas em alguns dos encontros. Nessa direção, o grupo de apoio aos sobreviventes visa oferecer um lugar onde os enlutados poderão compartilhar suas histórias e receber acolhimento ao sofrimento provocado pelo impacto do suicídio de um ente querido.

Existem dois tipos de grupos de apoio: a psicoterapia em grupo propriamente dita e o encontro de pessoas que apresentam a mesma demanda. Ambos têm a finalidade de oferecer amparo, apoio, suporte e acolhimento. Dessa forma, entre várias possibilidades na posvenção, o grupo de apoio aos enlutados é um dos mais preciosos recursos para que as pessoas consigam lidar com o luto por suicídio.

A natureza do grupo se propõe a ser focal, destinada aos enlutados pelo suicídio (ou sobreviventes). É preciso que o facilitador do grupo se coloque como heterossuporte a fim de que o enlutado encontre amparo e encorajamento para que sobreviva apesar do suicídio de uma pessoa amada. O facilitador que se habilita a lidar com esse processo deve abrir espaço para o compartilhamento e relembrar o que de mais vivo da pessoa que morreu continua habitando no enlutado.

PASSOS PARA A FORMAÇÃO DOS GRUPOS DE APOIO AOS ENLUTADOS POR SUICÍDIO[2]

- Divulgue que o grupo de apoio está sendo oferecido em sua cidade e que ele é voltado apenas para enlutados por suicídio. Lembre-se de ressaltar que o termo "enlutado" recebeu duplo sentido para designar tanto a pessoa que tentou o suicídio e não teve a morte consumada quanto quem está em processo de luto por suicídio. O modelo de convite e divulgação está no Anexo B (p. 117).
- Os encontros costumam acontecer mensalmente, mas podem ocorrer a cada 15 dias.
- A duração dos encontros varia de uma hora e meia a duas horas. Um período de duas horas permite meia hora para se integrar, uma hora para o compartilhar e meia hora para atualizações e sociabilização, mas o tamanho do grupo pode determinar a duração do encontro.
- Procure reservar um local e data constantes – por exemplo, toda primeira terça-feira do mês no horário das 19h –, que possam ser mantidos em todos os encontros.
- Os encontros são gratuitos e dependem da participação voluntária dos integrantes.

---

[2]. Fontes: Flexhaug e Yazganoglu, 2008; Shneidman, 1973, 1985, 1993, 1996, 2001, 2008; OMS, 2008.

NO DIA DO ENCONTRO

- Dê as boas-vindas aos participantes, dizendo que sente muito pelo fato de estarem no grupo, pois é sinal de que um suicídio aconteceu.
- Apresente-se como facilitador e convide os participantes a se apresentar, dizendo seu nome.
- Explique o objetivo geral do grupo, que permitirá sociabilização, integração e oferta de lugar de pertencimento, onde "todos estão no mesmo barco".
- Alinhe as expectativas do grupo.
- Leve etiquetas para colocar os nomes dos participantes.
- Anote o contato dos participantes e compartilhe, pois é importante incentivar a interação.
- Agende o próximo encontro.

Acredito que devemos oferecer espaços tanto para o acolhimento do enlutado quanto para o diálogo sobre quem morreu. Assim, os enlutados recebem, por meio das relações interpessoais, o convite para que não transformem suas dores em silenciamento – e, em consequência, que não acentuem a solidão por meio do isolamento.

REFLEXÕES SOBRE O EFEITO WERTHER OU "SUICÍDIO POR CONTÁGIO"

O efeito Werther ou "suicídio por contágio" originou-se na obra *Os sofrimentos do jovem Werther* (1774/2004), de Johann Wolfgang Von Goethe. Conforme Solomon (2014, p. 239), "suicídio gera suicídio também em sociedade. O contágio do suicídio é incontestável. Se uma pessoa comete suicídio, um grupo de amigos ou pares com frequência o seguirá". Já o efeito Papageno é oriundo de uma ópera de Mozart, "A flauta mágica".

Segundo Escóssia (2018), enquanto no efeito Werther o suicídio teria caráter contagioso, no efeito Papageno, por meio da mediação, seria possível evitar e prevenir esse fenômeno. A autora pergunta: "Até que ponto falar sobre um suicídio influencia um ato semelhante?"

Como acredito que o suicídio não seja contagioso, pois não se refere a uma doença, prefiro afirmar que um suicídio pode *influenciar*, dando ideias de métodos letais, mas *não determina* que outras pessoas cometam o mesmo ato. O que acontece é que a modalidade de enfrentamento às adversidades foi aprendida; logo, se tenho alguém próximo de mim que se matou, abre-se a possibilidade de eu pensar em suicídio quando estiver em situação de vulnerabilidade e intenso sofrimento. Julia, sobrevivente do suicídio do pai, disse: "Isso tudo representa um grande dano que a pessoa que se mata faz, pois *quem se mata abre uma porta que não deveria ser aberta*" (grifos meus).

O efeito Papageno é uma estratégia mais congruente com este livro, principalmente por acreditar na ressignificação das percepções sobre o significado do sofrimento e na mobilização de energia para a descoberta de comportamentos mais salutares. No efeito Papageno, o protagonista pede ajuda, ressignifica sua percepção de que a morte é a única solução para lidar com a frustração e amplia sua capacidade de lidar com o sofrimento.

INTERVENÇÕES PARA LIDAR COM A EXPOSIÇÃO VERSUS PRESERVAÇÃO

A Organização Mundial da Saúde (OMS, 2014, p. 9) tece recomendações sobre o que não se deve fazer quando acontece um suicídio: não publicar fotografias da pessoa que se matou, bem como evitar publicar mensagens de adeus; não informar detalhes sobre a maneira como a pessoa se matou; não oferecer explicações simplistas; não criar um clima sensacionalista; não utilizar estereótipos religiosos nem culturais; não reforçar acusações nem culpas. Apesar das recomendações, inúmeras publicações continuam a ser disseminadas pelas redes virtuais, expondo as fotos de pessoas mortas com dizeres sensacionalistas e acusatórios.

Ainda temos um caminho árduo a percorrer, mas fico otimista ao verificar que o cenário brasileiro se modifica diante das questões da prevenção do suicídio. Entre 2013 e 2017, período em que realizei a pesquisa para esta obra, percebi mudanças em relação ao suicídio que, felizmente, se direcionam para ações em prol da prevenção no Brasil e no mundo.

O dia 10 de setembro, outrora conhecido como Dia Mundial do Suicídio, recebeu a devida importância e se transformou em "Setembro Amarelo", o mês de prevenção do suicídio. No entanto, ainda cabe ressaltar que a prevenção do suicídio não deve se restringir a somente um dia ou apenas a um mês.

Em 2017, a série *13 reasons why*, da Netflix; o jogo da "baleia azul"; o grupo "The H4ters"; "Momo" e vários casos de suicídio em faculdades e escolas começaram a ser discutidos e ganharam destaque nas redes sociais e midiáticas.

A partir de 30 de setembro de 2017, o Centro de Valorização da Vida[3] (CVV) – associação de voluntários que disponibiliza escuta 24 horas por dia, em atendimento sigiloso, pelo *chat* ou pelo número 188 – iniciou a ampliação da área de cobertura para a maior parte do território nacional.

A melhoria na rede de comunicação e midiática foi expressiva. Documentários, tais como os produzidos pela HBO Latin America em coprodução com a Prodigo Filmes *Outros tempos jovens*, *Ouvidos calados e um revés de um parto*, *Suicídio – Assunto urgente*, bem como as campanhas de prevenção do suicídio do Ministério Público Militar – "Canal Mente Aberta" – e Federal – por meio da Procuradoria Geral da República –, ampliaram as informações sobre a prevenção e a posvenção. Além disso, o setor de comunicação produziu um número significativo de entrevistas com psiquiatras, psicólogos e profissionais de saúde ligados ao campo da suicidologia.

---

[3] Site do Centro de Valorização da Vida (CVV): <https://www.cvv.org.br/o-cvv/>.

Foram bem-vindos os materiais informativos sobre prevenção e posvenção do suicídio em forma de cartilhas e manuais que ressaltaram a valorização da vida e os sinais de risco e de proteção. Nos últimos anos também houve um aumento significativo de produção literária brasileira. Wilma, sobrevivente do suicídio do pai e autora de livros infantis, afirma:

> É necessário realizar um levantamento e divulgação de bibliografia sobre o tema, que esclareça questões para a população em geral e aos enlutados especificamente – por exemplo, O que é suicídio?[4], O meu amigo pintor[5] e Fazendo Ana Paz[6], as obras de Hemingway etc. A leitura conforta e nos faz amadurecer questões internas. Filmes também.

Acredito que o principal cuidado aos enlutados deva ser direcionado para a redução do estigma em torno do suicídio, a diluição da interdição da comunicação, a ampliação da psicoeducação com a finalidade de não expor o sofrimento dos enlutados e, sobretudo, a criação de estratégias para que esses indivíduos sejam preservados.

Tenho ciência de que alguns indivíduos convidam enlutados a falar em cursos sobre luto por suicídio, em eventos e na mídia. Tenho críticas severas à necessidade de expor os sobreviventes mais do que já estão expostos. Por acreditar que pessoas em luto devem ser preservadas, creio que garantir a privacidade que foi "sequestrada" pela situação traumática seja o melhor cuidado a se ofertar. De quem é de fato a necessidade de aparecer em uma situação de intenso sofrimento? Do profissional que deveria acolher o sofrimento existencial advindo do luto por suicídio ou do próprio sobrevivente que se percebe em uma experiência fragmentada? Compartilho em livros e artigos relatos de sobreviventes enlutados que participaram das pesquisas de doutorado e

---

4. Cassorla, R. M. S. O que é suicídio. São Paulo: Brasiliense, 1985.
5. Bojunga, Lygia. O meu amigo pintor. 24. ed. Rio de Janeiro: Casa Lygia Bojunga, 2004.
6. Bojunga, Lygia. Fazendo Ana Paz. 6. ed. Rio de Janeiro: Casa Lygia Bojunga, 2007.

pós-doutorado e que assinaram termo de consentimento para o uso dos depoimentos. Além disso, todos os nomes aqui utilizados são fictícios.

Acho uma violência tratar as histórias de sobreviventes como estudos de casos a ser apresentados em eventos ou em programas de entretenimento. Repito: o maior cuidado que devemos ter para com a prevenção e a posvenção ao suicídio é a *não exposição do sofrimento*. Digo isso porque recusei todas as solicitações de jornalistas para passar os contatos de sobreviventes que foram entrevistados e que atendo em psicoterapia. Quando se está em "carne viva", é preciso prioritariamente aprender a se preservar para cuidar da ferida que cicatrizará.

Concomitantemente, incentivo, apoio e divulgo projetos desenvolvidos pelas pessoas em processo de luto que transformaram sua dor em amor e lutam pela prevenção e pela posvenção do suicídio, levando programas de prevenção a escolas, grupos de apoio aos enlutados e criando ONGs em prol da saúde mental dos jovens. Alguns exemplos:

- **ONG Espaço SER**: Casa Matheus Campos (São Paulo – SP: http://www.espacoser.org.br/), cujos responsáveis são Tânia Iorillo e Fernando Campos, pais de Matheus, que partiu pelo suicídio em 2017. Tem como principal objetivo oferecer gratuitamente a jovens de 14 a 30 anos atividades integrativas que auxiliam no tratamento de transtornos mentais. Os participantes devem estar em tratamento psicoterápico e psiquiátrico.
- Também em São Paulo, **Luciana Coen**, mãe do primeiro aluno do Colégio Bandeirantes que morreu por suicídio em 2018, desenvolveu um programa para incentivar os cuidados dos jovens em trabalho psicoeducativo nas escolas.[7]

---

7. O trabalho de Luciana pode ser visto no vídeo que acompanha a seguinte reportagem: <https://www.forbes.com/sites/sap/2019/02/21/amid-a-rising-tide-of-suicide-tech--offers-a-new-ways-of-prevention/>.

- **Associação Treze de Março** (Porto Alegre – RS: https://www.trezedemarco.com.br/), sob responsabilidade de Michelle Baladão Fagundes, irmã enlutada por suicídio que fundou a associação. Trata-se de uma associação "sem fins lucrativos que visa, por meio do afeto e do diálogo, promover ambientes de acolhimento, ações de valorização da vida e o debate responsável sobre o suicídio".
- **Grupo Amigos para Sempre** (Itaú de Minas – MG). Conheci a associação por Rosane Freitas, sobrevivente do suicídio de seu filho Diego em 2014 e administradora da página do Facebook "Meu Anjo Amado Eterno Diego" (https://www.facebook.com/Anjo-amado-eterno-Diego-1456488621251270/?ti=as). As reuniões acontecem no segundo andar do Ambulatório Municipal com mães e pais enlutados, que realizam terapias com crochê, bordado, pintura etc. Todos os trabalhos são doados para instituições e lares de idosos.

Ressalto que tive a autorização de todos os responsáveis pelos projetos mencionados para divulgá-los nesta obra. O texto de cada trabalho foi escrito considerando as alterações sugeridas pelos responsáveis por eles. Saliento que indiquei apenas os nomes das pessoas que morreram por suicídio que já estão inclusas nos títulos da ONG e da página.

Para finalizar este tópico, acrescento uma situação que considero extremamente constrangedora para os enlutados e que tem acontecido com certa frequência. Certo dia, recebi uma mensagem por WhatsApp com fotos de um adolescente que tentou suicídio dentro da escola. Na foto em que havia várias pessoas, sua identidade foi indicada por uma seta acima de sua cabeça. Além disso, várias outras fotos da prestação de socorros dos bombeiros foram enviadas por diversos grupos aos quais pertenço. Imaginei os sentimentos da família desse jovem vendo as fotos dele assim expostas...

Antecipei a exposição escancarada que o adolescente sofreria caso sua morte não se consumasse. Como seria sua vida após a tentativa de suicídio? Quantos julgamentos, difamações e acusações sofreria?

A indignação pela falta de cuidado e de empatia para com o jovem e sua família fez que eu escrevesse nas redes sociais o seguinte pedido:

> **Nota de recomendação para situação de crise**
> Por favor, peço ajuda para realizarmos um trabalho psicoeducativo. Publicar fotos de pessoas que tentam o suicídio é prejudicial para a prevenção ao suicídio, pois, além de expor a própria pessoa, expõe a família, os amigos e a instituição. **O melhor cuidado é o acolhimento e não a exposição.**

INTERVENÇÕES PARA AUXILIAR COM AS DIFICULDADES LIGADAS AOS PROCESSOS BUROCRÁTICO, JURÍDICO, FINANCEIRO E EMOCIONAL

Na maioria dos casos, as pessoas não sabem como agir nem como lidar com quem foi impactado pelo suicídio. Dessa forma, os enlutados salientaram a importância do outro no processo de luto para ajudar a resolver as questões burocráticas, financeiras e emocionais.

Aprendi com Fernanda, sobrevivente do suicídio do ex-companheiro, que uma das maneiras de cuidar do enlutado é também ofertar suporte financeiro. Ela trabalhava como professora autônoma e dez de suas 30 alunas deixaram de frequentar as aulas por saberem que acontecera um suicídio. Além disso, ficou 15 dias sem trabalhar em virtude do luto. Disse que as contas continuaram e, por isso, se viu obrigada a retornar às aulas gradualmente. Relatou ter recebido muita ajuda de seus amigos e familiares, o que permitiu que conseguisse se recompor aos poucos do impacto do suicídio.

Os procedimentos burocrático, jurídico e financeiro parecem tornar o processo ainda mais desgastante. O impedimento para que os familiares toquem no morto, a maneira como os funcionários do IML retiram a pessoa que se matou dos locais onde o suicídio aconteceu, o infortúnio de ser atendido por um policial que deve seguir o protocolo de investigação que mais se assemelha ao de uma inquisição para identificar a "prova do crime", o processo de perícia médica, as fotos registradas que escancaram a violência do suicídio, a demora na liberação do resultado da autópsia, a dificuldade de lidar com os trâmites da morte – por exemplo, se desejam embalsamar ou não o corpo –, a investigação para concluir se a morte aconteceu por homicídio ou suicídio e a falta de orientação sobre o inventário provocam a sensação de desamparo e de retorno ao horror vivido quando o suicídio aconteceu. Além disso, retornar à delegacia, receber notificações da investigação e lidar com a demora para arquivar o caso são situações que provocam sofrimento nos enlutados e que mereceriam discussão, trabalho psicoeducativo e acolhimento – como citou Margarete, que ressaltou a necessidade de haver "uma assistente social para dizer: 'Olha, tem saída, é bom você procurar um psicólogo para trabalhar esse trauma'". Nesse sentido, considero importante realizar um resumo das principais informações sobre a trajetória do sobrevivente.

O ÁRDUO CAMINHO DO SOBREVIVENTE

Os enlutados relataram que se sentiram desassistidos, desamparados e carentes de informações sobre o que deveriam fazer ou ter feito quando foram impactados pelo suicídio. Infelizmente, a desassistência no âmbito dos direitos dos enlutados por suicídio impera.

Quando acontece o suicídio, a polícia militar geralmente é a primeira a ser acionada para registrar a morte. Ao chegar ao local, ela o isola e elabora o boletim de ocorrência. A etapa seguinte é de responsabilidade da polícia civil, que faz a perícia do local. O delegado da área de ocorrência do suicídio dará início ao inquérito de investigação com o intuito de averiguar se se trata (ou não) desse ato. O perito tira fotos, procura evidências que quem se matou possa ter deixado. Normalmente o celular e o computador de quem se matou são apreendidos e ficam durante muito tempo em posse da investigação. O enlutado deverá, portanto, acessar a polícia, registrar uma ocorrência e passar pelo Instituto Médico Legal. A autópsia pode demorar.

Concomitantemente ao suicídio, uma investigação será iniciada e o delegado fará perguntas para auxiliar na perícia. Quando saem os laudos técnicos, o enlutado é chamado novamente e precisa estar preparado, pois verá fotos da pessoa que se matou. Até que a investigação se encerre, poderá ser chamado novamente para comparecer ao inquérito.

Desde o início deste estudo, em novembro de 2013, busquei informações em relação ao seguro do beneficiário, que teve modificação outorgada pelo STF em 2017 e merece atenção. Expresso meu profundo agradecimento às advogadas Juliana Cristina Ramos Costa, Tânia Araújo Wiehen e Michelle Baladão Fagundes, que me ajudaram com seu conhecimento para que eu apresentasse a situação atual do seguro de vida[8] não indenizado à família que teve um parente morto por suicídio. Ou seja, se ao contratar o seguro de vida o contratante se matar dentro de um prazo de dois anos, os familiares não terão direito a receber o dinheiro.

Exatamente pelo fato de o suicídio envolver aspectos legais e burocráticos, também penso que seria interessante se advogados pudessem se habilitar na área da suicidologia com o intuito de orientar a família sobre o inventário ou apontando os direitos e deveres dos enlutados. Nesse sentido, faço minhas as palavras de Wilma:

---

[8]. O STJ reviu seu posicionamento a respeito do dever da seguradora de indenizar o segurado que se suicidou dentro do prazo de carência de dois anos da assinatura do contrato. A mudança de posicionamento do STJ decorreu da interpretação dada ao artigo 798 do Código Civil. Pela nova interpretação, entendeu-se que há um critério objetivo delineado para o pagamento do prêmio de seguro, qual seja, o critério temporal: dois anos de carência. Nesses dois anos, não há pagamento de prêmio, sob nenhum aspecto, independentemente da análise de premeditação ou não.

Os enlutados poderiam receber assistência jurídica gratuita e especializada, a fim de lutar por seus direitos civis e receber conforto material, enquanto vive no inferno psíquico. No Brasil, deveríamos seguir algumas premissas das leis instituídas para os sobreviventes de câncer: empresas não podem demitir enlutados por suicídio e assemelhados.

Então, quais seriam os direitos de um sobrevivente enlutado por suicídio?

DIREITOS DAS PESSOAS EM LUTO POR SUICÍDIO

Com tanta desassistência, seria possível pensar nos direitos dos enlutados? Penso que sim. Recuperar sua voz, emudecida e calada por tanto tempo, é o primeiro direito.

Nos âmbitos burocrático, jurídico e financeiro existe um déficit enorme no que se refere aos cuidados, pois não encontrei nenhum trabalho destinado aos enlutados por suicídio. No aspecto emocional, aponto o estudo de Andriessen (2004, p. 3, tradução nossa), "How to increase suicide survivor support? Experiences from the national survivor program in Flanders-Belgium", que apresenta os direitos emocionais dos sobreviventes enlutados:

- enlutar-se à sua maneira e conforme o tempo que for necessário;
- saber a verdade sobre o suicídio, ver o corpo do falecido e organizar o funeral, considerando suas necessidades, ideias e rituais;
- considerar o suicídio resultante de causas inter-relacionadas, que provocaram dor insuportável para a pessoa que se matou: o suicídio não foi uma escolha, mas um processo de sofrimento;
- integrar alegria e tristeza e se libertar de estigmas ou julgamentos;
- ter sua privacidade e imagem respeitadas, bem como a da pessoa que morreu;

- receber apoio de parentes, amigos, colegas e outros sobreviventes enlutados, assim como de profissionais habilitados que conheçam a dinâmica do processo do luto, os potenciais fatores de risco e suas consequências;
- entrar em contato com o médico ou cuidador (se for o caso) que acompanhou a pessoa que se matou;
- não ser considerado candidato potencial ao suicídio nem doente mental;
- compartilhar sua experiência com outros sobreviventes, cuidadores e todos os que buscam a ampliação do conhecimento acerca do suicídio e do luto por suicídio;
- não exigir de si mesmo ser a mesma pessoa de antes. Há uma maneira de viver antes do suicídio e outra depois dele.

6. Por uma política pública para enlutados: de impotência individual a potência coletiva

> "Fluindo na direção da morte, a vida do homem arrastaria consigo, inevitavelmente, todas as coisas humanas para a ruína e a destruição, se não fosse a faculdade humana de interrompê-las e iniciar algo novo [...]."
>
> (Arendt, 2002, p. 258)

A CITAÇÃO DE HANNAH Arendt ensina que é possível realizar ações não em direção à morte, mas para promover o pulsar da vida. Os apontamentos das diferentes maneiras como os enlutados se sentiram cuidados no processo de luto levaram-me a confirmar a necessidade de criar um espaço de escuta e de compartilhamento, sobretudo no âmbito das políticas públicas. Ademais, os relatos evidenciaram a singularidade do luto, pois cada pessoa apresentará necessidades diferentes na elaboração do processo de posvenção.

Em 26 de abril de 2019, o governo federal promulgou a Lei n. 13.819, que institui a Política Nacional de Prevenção da Automutilação e do Suicídio (Brasil, 2019). São seus objetivos:

I – promover a saúde mental;

II – prevenir a violência autoprovocada;

III – controlar os fatores determinantes e condicionantes da saúde mental;

IV – garantir o acesso à atenção psicossocial das pessoas em sofrimento psíquico agudo ou crônico, especialmente daquelas com histórico de ideação suicida, automutilações e tentativa de suicídio;

V – abordar adequadamente os familiares e as pessoas próximas das vítimas de suicídio e garantir-lhes assistência psicossocial;

VI – informar e sensibilizar a sociedade sobre a importância e a relevância das lesões autoprovocadas como problemas de saúde pública passíveis de prevenção;

VII – promover a articulação intersetorial para a prevenção do suicídio, envolvendo entidades de saúde, educação, comunicação, imprensa, polícia, entre outras;

VIII – promover a notificação de eventos, o desenvolvimento e o aprimoramento de métodos de coleta e análise de dados sobre automutilações, tentativas de suicídio e suicídios consumados, envolvendo a União, os Estados, o Distrito Federal, os Municípios e os estabelecimentos de saúde e de medicina legal, para subsidiar a formulação de políticas e tomadas de decisão;

IX – promover a educação permanente de gestores e de profissionais de saúde em todos os níveis de atenção quanto ao sofrimento psíquico e às lesões autoprovocadas.

Fazendo referência a essa lei, gostaria de problematizar o item VIII: "promover a notificação de eventos, o desenvolvimento e o aprimoramento de métodos de coleta e análise de dados sobre automutilações, tentativas de suicídio e suicídios consumados [...]". Preocupa-me que as notificações, sem planos de ação para promover acolhimento, cuidados, capacitação de profissionais da saúde e educadores e intervenções dirigidas aos grupos de vulnerabilidade – usuários de álcool e drogas, portadores de transtornos mentais, imigrantes, profissionais de segurança pública, público LGBT, queimados, vítimas de violência sexual e portadores de doenças crônicas –, gerem problemas. Apenas a notificação, sem o trabalho conjunto com outras ações, talvez se torne apenas exposição, o que poderá acentuar ainda mais o sofrimento existencial. Há, portanto, a necessidade de uma mudança consistente e embasada em uma prática mais respeitosa, cuidadosa e que se proponha a ampliar e favorecer a escuta das violências autoprovocadas, sobretudo dos casos de suicídio.

Sob responsabilidade da Secretaria Nacional da Família do Ministério da Mulher, da Família e dos Direitos Humanos (MMFDH), a publicação que faz parte das "Metas Nacionais Prioritárias" relativas à "Agenda de 100 dias de Governo" focaliza a "Campanha Nacional de Prevenção ao Suicídio e à Automutilação de Crianças, Adolescentes e Jovens". Lançada pelo Governo Federal em 23 de janeiro de 2019, ela traz propostas relacionadas com as "dimensões humanas". Com foco na promoção da cultura e da valorização da família, tais propostas se propõem a servir de base para a elaboração de políticas públicas, sendo compostas pelas seguintes dimensões: social, espiritual, biológica e psicológica. Nessa direção, apresento a seguir um resumo das principais formas de cuidado e intervenções para prevenção do suicídio:

No âmbito social, acredito ser imprescindível a ampliação da *awareness* para o problema de saúde pública e das redes de cuidados àqueles que tentaram o suicídio, aos sobreviventes, aos enlutados por suicídio e às pessoas que apresentam comportamento autolesivo. Dessa forma, a nova política pública deve promover planos de intervenção nos núcleos de assistência à saúde. Nesse sentido, destaco as ações realizadas com o objetivo de ampliação do espectro social.

No segundo semestre de 2019, organizei, juntamente com Almir Vicentini, Carla Vicentini, Mônica Manir, Fátima Martucelli, Maria Eduarda Loureiro Kapáz, Luciana Coen e o Departamento de Pós-Graduação da Universidade de São Caetano do Sul (USCS), dois eventos: "Suicídio: quebrando silêncios e acolhendo a vida" e "Processos autodestrutivos na infância e na adolescência", no Teatro Sérgio Cardoso. Ambos tiveram cunho beneficente e buscaram ampliar a conscientização brasileira em relação à prevenção da violência autoprovocada.

Outra ação efetivada foi a administração de páginas na internet e em redes sociais, que objetivam oferecer material para o aprofundamento das temáticas do suicídio, prevenção e posvenção:

- grupo "Suicídio: Prevenção e Posvenção no Brasil";
- página "Suicídio: Prevenção e Posvenção no Brasil";
- página "Enlutamento pelo Suicídio no Brasil";
- site Karina Okajima Fukumitsu – Prevenção, posvenção e acolhimento da vida.[9]

Tais recursos midiáticos não se propõem a responder a mensagens, embora tenha sido frequente o envio delas com pedidos de orientações e sugestões. Em média, há 15 pedidos diários de orientação na lida do comportamento suicida e/ou sobre o que deve ser feito depois de uma tentativa de suicídio. Em minhas respostas, informo os sinais de alerta e fatores de risco, ofereço possibilidades de busca de ajuda psicológica e física e divulgo cursos e eventos sobre a temática. As redes virtuais, portanto, estão em congruência com a proposta da Organização Mundial da Saúde (OMS, 2014), que menciona ser o "adequado manejo da informação sobre o tema nos órgãos de difusão de massa" uma das formas preventivas ao suicídio citadas anteriormente.

Outra intervenção que se vincula à dimensão social da agenda se propõe a endossar práticas de valorização da família, enfatizando sobretudo o fortalecimento dos vínculos familiares:

> A família integra a rede psicossocial de suporte das pessoas e pode ser um recurso para a prevenção do suicídio na perspectiva da logoterapia. A experiência da pessoa na família representa um desafio aos modelos mais recentes que demarcam/restringem o problema do sentido da vida ao sujeito. A morte desvela o aspecto mais dramático, pois atua como ruptura do fluxo cotidiano de projetos, anseios, sentimentos familiares e requer atitudes que

---

9. <https://www.facebook.com/groups/364341807097926/>; <https://www.facebook.com/pages/Suicídio-Prevenção-e-Posvenção-no-Brasil/417073551785210>; <https://www.facebook.com/Enlutamento-pelo-suicídio-no-Brasil-1682300211997656/>; <http://karinafukumitsu.com.br/>.

permitam lidar com a imprevisibilidade e com o caráter evanescente da vida. (MMFDH, 2019, p. 32)

O apoio dos familiares, dos amigos e de quem vive no entorno da mudança drástica causada pelo suicídio é fundamental. Para tanto, são necessárias ações como encontros dialógicos, rodas de conversas e debates entre adolescentes, pais e família em diversos ambientes – escola, empresas, instituições religiosas, equipamentos de saúde etc. – a fim de promover reflexões acerca dos conflitos interpessoais e fortalecer as pessoas para enfrentar as adversidades e gerenciar crises existenciais. Assim, oferto palestras e promovo espaços dialógicos com pais com o objetivo de orientá-los a respeito dos processos autodestrutivos dos jovens e provê-los com informações a respeito do manejo do comportamento suicida.

Outro ponto da dimensão social a ser discutido é o que faz menção ao trabalho voluntário: "estudo publicado pela BMC Public Health (BMC, 2013), baseado em 40 artigos científicos, contatou que as pessoas que prestam serviço voluntário com o fim de ajudar aos outros têm 20% menos de propensão à depressão". (MMFDH, 2019, p. 34)

Como a ação apontada consiste "em fornecer meios de acesso ao trabalho voluntário e até mesmo realizar parceria com clínicas de atendimento psiquiátrico para facilitar as ações desse tipo" (*ibidem*, p. 34), endosso a importância do trabalho pioneiro da ONG Espaço SER – Casa Matheus Campos, mencionada no Capítulo 5, sobretudo porque os objetivos da ONG vão ao encontro da proposta do Ministério.

O Espaço SER é uma instituição ímpar no Brasil, e sua proposta de trabalho é congruente com o que acredito: cuidados integrativos aos jovens de 14 a 30 anos que estão em acompanhamento psicoterápico e psiquiátrico e realizam atividades semanais e gratuitas na ONG, entre elas: dança, origami, acupuntura, musicoterapia, ioga, *Qi Gong*, reiki, biodança, arterapia, fascioterapia, rodas de conversas, aulas de francês, *tai chi chuan* etc. Cabe salientar que todas as atividades, organizadas por mais de 50 voluntários, são gratuitas.[10]

No que diz respeito às dimensões biológica e psicológica, quero destacar algumas intervenções que dizem respeito às ações a que dedico meus esforços e que têm relação direta com minha preocupação desde o início de minha trajetória como suicidologista: "A melhoria da qualidade dos serviços de saúde e de acesso a esses serviços" (MMFDH, 2019, p. 35).

Precisamos urgentemente de profissionais de saúde mais preparados. Penso que deveríamos introduzir o tema suicídio nas graduações e pós-graduações dos cursos das áreas de saúde e educação, pois assim a sociedade brasileira teria condições de incentivar pesquisas e formar bons profissionais para o manejo do comportamento suicida e para o acolhimento do processo de luto por suicídio.

Dessa forma, outra proposta interventiva, que me é muito preciosa, diz respeito à capacitação de profissionais da saúde para o manejo do comportamento suicida, prevenção do suicídio e posvenção. A proposta da capacitação nos cursos "Suicídio e manejo do comportamento suicida" e "Suicídio e luto: uma tarefa da posvenção" traz três objetivos:

- discutir temas relacionados com processos autodestrutivos, automutilação, adoecimento autoimune, morte, suicídio e luto em instituições que se destinam a formar profissionais da saúde;
- estimular a necessidade de tornar a psicoterapia mais acessível às pessoas que não podem pagar ou oferecê-la nos vários formatos em instituições de saúde mental públicas;

---

10. Saiba mais sobre o Espaço SER assistindo ao seguinte vídeo: <https://www.youtube.com/watch?v=zKckWoiivFc#action=share>.

- promover, também, a formação de profissionais da educação, para que possam ajudar na identificação de pessoas em risco de suicídio e no acolhimento ao luto em escolas e universidades.

A criação dos cursos supramencionados se coaduna com a disciplina intitulada "Suicídio: Prevenção e Luto", mencionada na introdução deste livro, que foi ministrada por mim e por Maria Julia Kovács em curso de pós-graduação em Psicologia Escolar e Desenvolvimento Humano de setembro a dezembro de 2015. O curso teve sua concepção baseada na crença de que as instituições formadoras de profissionais da saúde e da educação devem investir na discussão ética e bioética, bem como no aperfeiçoamento de profissionais para a elaboração de estratégias e de ações coletivas para valorização da vida, bem-estar biopsicossocial, prevenção dos processos autodestrutivos e acolhimento ao processo de luto.

Em setembro de 2019, a pós-graduação *lato sensu* – especialização em Suicidologia: Prevenção e Posvenção, Processos Autodestrutivos e Luto da Universidade São Caetano do Sul (USCS) – receberá sua primeira turma, coordenada por Almir Vicentini e por mim. Justificamos a oferta do curso afirmando no projeto pedagógico:

> A pós-graduação *lato sensu* – Especialização em Suicidologia: Prevenção e Posvenção, Processos Autodestrutivos e Luto se faz relevante porque se considera que o trabalho da prevenção dos processos autodestrutivos demanda ampla discussão, sobretudo porque a temática tomou proporções alarmantes que merecem atenção tanto da população em geral quanto das políticas públicas. Presente na vida das pessoas, a morte emerge como acontecimento do desenvolvimento humano, porém ainda é pouco discutida nas áreas das ciências humanas. O Brasil está entre os dez países com taxas mais elevadas de suicídio, tornando-se este um problema de saúde pública. Nesse sentido, a urgência de discutirmos os processos autodestrutivos e prevenção, luto e automutilação, além das formas de abordagem nas instituições de saúde e de educação, é incontestável.

Em consequência dessas capacitações, criei o Programa Ressignificações e Acolhimento Integrativos do Sofrimento Existencial (Raise)[11]. Por meio dele, realizo em média dez indicações por dia de profissionais que treinei nos cursos "Suicídio e manejo do comportamento suicida" e "Suicídio e luto: uma tarefa da posvenção". Além disso, caso a pessoa se encontre em situações de desespero, desesperança e desamparo, sempre sugiro que ligue para o Centro de Valorização da Vida (CVV), no número 188, ou converse por meio do chat no site https://www.cvv.org.br/.

Um dos aspectos que julgo pertinente comentar é a procura de profissionais de saúde e de orientações tanto para aquele que tenta se matar quanto para a pessoa em luto. Como já disse, acredito ser imprescindível acolher as pessoas em sofrimento existencial. Segundo a OMS (2014), é recomendável abranger ações destinadas ao tratamento dos transtornos psiquiátricos; reduzir o acesso aos métodos suicidas; incentivar programas de reabilitação da dependência química e de álcool. No que se refere à comunicação social, sugerem o adequado manejo da informação sobre o tema nos órgãos de difusão de massa, principalmente a partir da divulgação dos sinais de alerta e fatores de risco, e o incentivo de reflexões sobre os mitos e pensamentos prejudiciais que ressaltam o estigma do suicídio.

Com a criação e a ampliação dos Centros de Atenção Psicossocial (Caps), ficou consignado que esses equipamentos de saúde seriam responsáveis por intervenções de média complexidade, mais especificamente no que se refere a usuários com intenso sofrimento psíquico e transtornos mentais. Nesse quesito, a aliança entre os programas de prevenção e de posvenção de suicídio e os centros para tratamento de transtornos mentais seria fundamental. Porém, em situações graves, como no caso de crises com tentativas de suicídio, que necessitariam de acolhimento imediato, as redes de serviços mostram-se ineficazes.

---

[11]. Mais informações em: <http://karinafukumitsu.com.br/newpage2>.

Em novembro de 2017, aceitei o convite de uma das psicólogas do Caps II Adulto Cidade Ademar, Naymara Damasceno, para participar de uma conversa, juntamente com o gerente Edson Souza e os servidores. O objetivo da reunião foi compartilhar as principais dificuldades e necessidades em relação à temática do suicídio e de automutilações. Segundo Edson, em pesquisa apresentada pelo Sistema de Informação sobre Mortalidade (SIM) (2016),

> foram 461 casos no município em 2016. No distrito administrativo de Santo Amaro/Cidade Ademar, em São Paulo, pertencente à região sul da cidade, tivemos 37 casos, cerca de 35% dos casos desta região. É a segunda maior taxa, apenas atrás da Sé, com 38 casos. Diante desta complexidade, no ano de 2017, o Caps Adulto Cidade Ademar, a partir da análise de informações das demandas de acolhimento deste serviço, identificou um aumento significativo dos casos de ideação suicida e de casos de tentativa de suicídio egressos de internação. (Projeto de Intervenção na Prevenção ao Suicídio da Cidade Ademar, 2018, p. 2)

A conversa resultou em encontros bimestrais com a rede de serviços do território e com seus profissionais de saúde. Entre 2017 e 2019, tivemos seis encontros com a participação de 245 profissionais de saúde – inicialmente entre Caps Adulto e Caps Infantojuvenil de Cidade Ademar. Atualmente, contamos também com a participação de um Núcleo de Apoio à Saúde da Família (Nasf), um Centro Educacional Unificado (CEU), um Programa Acompanhante da Pessoa com Deficiência (APD) e diversas Unidades Básicas de Saúde (UBS). Além disso, estabelecemos parcerias com os equipamentos de saúde da atenção primária, secundária e terciária, a fim de aprimorar a lida do comportamento suicida. Nesses encontros, as rodas de conversa tornaram-se espaços para refletir sobre a temática com o intuito de criarmos e desenvolvermos ações para a prevenção e a posvenção do suicídio.

Por considerar que tanto a prevenção do suicídio quanto sua posvenção demandam treinamento e formação de profissionais, durante as rodas de conversa tivemos o objetivo de habilitar os profissionais da saúde para o manejo do comportamento suicida e o acolhimento ao processo de luto por suicídio. Desde então, estamos construindo um local de referência para que os profissionais envolvidos com a temática possam encaminhar para o Caps Cidade Ademar os casos de suicídio e de luto por suicídio, pois eles receberam habilitação e treinamento gradual no acolhimento do sofrimento existencial.

Em 2019, fui procurada por Adriana Maria de Lima, coordenadora de Saúde Mental da Prefeitura de Francisco Morato, com a seguinte mensagem:

> Karina, percebemos que em nosso município ninguém falou nem fala sobre esses assuntos, e todos se esquivam deles, porém estamos com grande número de adolescentes se automutilando e tivemos casos de suicídios que mexeram com toda a cidade. Um jovem de 30 anos suicidou e escreveu um depoimento na rede social, deixando a cidade desolada. A partir daí, notei a necessidade de capacitar os técnicos para abordarmos tal assunto. Tivemos também uma situação de automutilação numa escola estadual; uma jovem de 15 anos teve vários cortes que se confundiam com uma cesárea, de tão graves e profundos. A diretora levou para o Caps Infantil em vez de levar para o hospital, uma vez que estava sangrando. Diante de tais situações, precisamos capacitar nossos técnicos.

Após esse contato, fui contratada para oferecer capacitação do manejo do comportamento suicida e do acolhimento ao sofrimento existencial entre 25 de março e 8 de abril de 2019. Participaram desse trabalho profissionais de diversos equipamentos de saúde do município, 48 escolas municipais e 20 escolas estaduais.

Ainda em consideração às dimensões biológicas e psicológicas do ser humano, o Ministério da Mulher, Família e Direitos Humanos (2019, p. 35) aponta que "o acesso a dados estatísticos, com diversos tipos de análises, pode ser um grande aliado na definição de políticas públicas eficazes e efetivas", sugerindo a "criação de um observatório de dados de violência autoprovocada. [...]. É preciso inclusive ter uma educação tecnológica saudável, na qual os pais, bem informados, auxiliem seus filhos no uso das tecnologias modernas, evitando diversas doenças, inclusive psíquicas".

Creio que a partir do levantamento de necessidades dos profissionais, das notificações de suicídio (tentativas e mortes consumadas) e da atualização dos dados dos pacientes (idade, região, fonte de indicação, para onde foi encaminhado etc.) será possível mapear os casos de suicídio e ter a dimensão da real necessidade da sociedade brasileira diante das violências autoprovocadas.

Nesse sentido, desde 2017, estabeleci parceria com a plataforma Fique Vivo (https://fiquevivo.com.br/). Idealizada pelo doutor Fábio Vieira, médico de família que mora em Londres, a plataforma tem a finalidade de auxiliar aqueles que passam por sofrimento emocional. O Fique Vivo tem sido um excelente recurso para escolas e Centros de Atenção Psicossocial (Caps). Funciona assim: a pessoa que entra no site responde a algumas questões e um algoritmo verifica se existe algum tipo de pensamento de autodestruição. Caso haja, realiza-se uma estratificação do risco e, de acordo com a gravidade da situação, o indivíduo recebe orientações e

> [...] é incentivado a indicar alguém de sua rede de apoio que possa falar sobre o assunto. Além disso, tem seu sofrimento legitimado como uma questão de saúde, com estímulo para buscar suporte de um profissional ou serviço de saúde. Todos os casos recebem uma mensagem de acompanhamento via e-mail após alguns dias do primeiro contato. O propósito do Fique Vivo é construir uma rede de proteção e prevenção ao suicídio. (Texto retirado do site Fique Vivo em janeiro de 2019)

Quanto mais precisos forem os registros de suicídios consumados e das tentativas de suicídio, maior será a chance de mapearmos os locais que merecem maior atenção. Incentivo, portanto, que as notificações das tentativas de suicídio e dos registros de óbitos sejam declaradas com mais frequência. A sugestão se dá pelo fato de que em muitos locais brasileiros ainda inexistem os Institutos Médicos Legais (IML). Além disso, essas mortes são subnotificadas porque alguns familiares – temendo a difamação e o julgamento alheios – preferem omitir que a morte aconteceu por essa via, não aceitando a inclusão da palavra "suicídio" na certidão de óbito. No entanto, creio que assumir que houve um suicídio é o primeiro passo para que a dor seja legitimada.

Por fim, acredito que

> [...] a prevenção aos suicídios é prática que deve acontecer todos os dias e não somente em um mês, sobretudo por ressaltar a importância de manter a esperança de que é possível acolher o sofrimento humano. É, portanto, prática a ser inserida no dia a dia, ofertando esperança, amor e acompanhamento tête-à-tête na oferta de espaços de hospitalidade que favorecerão novas moradas existenciais. (Fukumitsu, 2018a, p. 2)

Penso que as ações interventivas devem favorecer a conscientização da ampliação dos cuidados ao sofrimento existencial. Sinto falta de uma sociedade em que os enlutados possam receber acolhimento para falar, chorar, compartilhar histórias e reassegurar a oportunidade de viver seu luto. Enfim, em todas as áreas que envolvem o tema do suicídio devemos realizar um trabalho psicoeducativo de forma preventiva. Espero realmente que nosso país receba o apoio das instâncias públicas para que o sonho do desenvolvimento de um programa preventivo ao suicídio se torne realidade.

Considerações finais

> "[...] o estudo dos sobreviventes fala mais da minha vida propriamente do que do suicídio."
> [Julia, sobrevivente do suicídio do pai]

Como afirmei na Introdução, dez anos se passaram desde que iniciei meus estudos sobre luto por suicídio. O que aprendi no doutorado e no pós-doutorado vai além de uma aprendizagem quantitativa de dez anos com 32 pessoas enlutadas por suicídio. Estas ofereceram mais do que conhecimento: ensinaram-me sobre a sabedoria de continuar vivo apesar da morte de alguém. Assim, este livro trata mais da vida de quem ficou do que da vida de quem se matou.

As entrevistas me emocionaram, pois cada depoente confirmou o maior propósito desta obra: *compreender o lugar do enlutado pelo suicídio e o sofrimento humano*. Para tanto, eles retomaram suas percepções acerca do processo de luto e da maneira como administraram e cuidaram de suas dores e se sentiram cuidados em seu sofrimento. Toda a aprendizagem que tive durante esse tempo serviu para embasar a proposta do plano preventivo tanto para pessoas que tentam se matar quanto para aquelas enlutadas por suicídio.

A ressignificação do processo de luto por suicídio deu embasamento a esta obra, que apresenta reflexões importantes sobre um plano nacional, pois abrange sugestões que vão da necessidade de aprimorar a notificação das mortes por suicídio, a assistência jurídica, emocional e física ao incentivo aos estudos, pesquisas e capacitação para ampliar a prevenção do suicídio nos contextos da saúde, educacionais, sociais e culturais.

Escutei, ouvi e chorei tentando digerir histórias dificílimas e, por vezes, indigestas – não pelo compartilhar dos colaboradores, mas pelo sofrimento oriundo do suicídio de alguém que se ama. Em todas as entrevistas, a indignação e a tristeza me invadiram. Em vários momentos, fui acompanhada pelo sentimento de impotência. Porém, ao conviver com essa impotência, aprendi sobre as ciladas em que ela nos coloca: gera mágoa, culpa, provoca paralisação e medo. Já a impotência advinda do suicídio de quem se ama emudece, cala e perturba.

Quando percebi que não poderia perpetuar a impotência sentida, mobilizei minhas energias para transformar a *impotência individual* em *potência coletiva*. Tornei-me *aware* de que uma força contrária, vestida de onipotência, tomava conta de mim. Titubeei por acreditar que não seria possível finalizar esta obra e descobri que não é pela impotência, tampouco pela onipotência que as ações para a prevenção e a posvenção do suicídio devem ser sustentadas. Elas devem ser embasadas no solo construído pela *potência* do que pode ser feito. Nesse sentido, é por meio do acolhimento, da dedicação e do envolvimento individual e coletivo que poderemos mudar o atual cenário brasileiro de casos de suicídio e de processos de autodestruição.

A tristeza foi outra visitante permanente durante este estudo. Ela veio à tona toda vez que eu tomava conhecimento de pessoas que encerraram sua existência. Um post da página Life Matters Suicide Prevention Trust[12] ajudou-me a compreender meus sentimentos: "O suicídio não finaliza as chances de a vida piorar. O suicídio elimina as possibilidades de a vida melhorar" (tradução nossa). Minha tristeza veio ao encontro do seguinte questionamento: será que as possibilidades daqueles que tiraram a própria

---
12. Disponível em: <https://www.facebook.com/LifeMattersNZ/>.

vida não poderiam ser ressignificadas como oportunidades melhores? Nunca saberei, infelizmente.

Sei, contudo, que há pessoas que preferem guardar para si o sofrimento, por acreditarem que, se relatassem suas experiências, ficariam mais desestabilizadas do que ficaram na situação do suicídio. Porém, os colaboradores me ensinaram a importância do compartilhar e me deram uma valiosa contribuição, que serviu de escopo para compreender os cuidados e intervenções aos enlutados por suicídio. Prontificaram-se a compartilhar suas experiências dolorosas e mostraram a trajetória que foram obrigados a percorrer – caminho árduo das consequências de uma morte escancarada e interdita. Precisaram, sobretudo, se reorganizar considerando seus sentimentos e pensamentos. Ensinaram-me que devemos direcionar generosidade e compaixão para nós mesmos quando estamos feridos, pois o que não se aplica a mim não pode ser aplicado aos outros.

Aproximei-me empaticamente para ouvir as histórias dos sobreviventes. Nesse sentido, não se tratava apenas de mais um relato, mas de uma história visceral que demandou esforço hercúleo para ser ressignificada. Apresento, portanto, minha reverência a cada enlutado que compartilhou sua preciosa história de dor e de amor.

Os participantes confiaram a partilha de suas feridas. Suas principais necessidades e dificuldades que enfrentaram quando a pessoa amada se matou deram sustentação para que eu realizasse o levantamento dos cuidados e intervenções. Suas contribuições me levaram a profundas reflexões e foi por esse motivo que os enlutados receberam o título de colaboradores. Não os considero "sujeitos", como habitualmente os participantes de pesquisas são denominados, sobretudo pelo fato de acreditar que cada depoente foi meu verdadeiro mestre no conhecimento do processo de luto por suicídio.

Cada entrevistado expressou singularidade vital no enfrentamento do luto. Assim, se por um lado o estudo pode ser considerado exploratório, por outro apresenta caráter de intervenção, uma vez que alguns dos colaboradores afirmaram que se sentiram acolhidos durante as entrevistas. Ao narrar suas histórias, elaboraram questões que ainda estavam obscuras ou ainda não eram conhecidas. Buscaram luz na escuridão, tiveram de encontrar fé apesar do desespero e resgataram a esperança de viver e sobreviver de maneira mais serena e menos dolorosa.

Não foram entrevistas fáceis de realizar, assim como não foi a análise fenomenológica, mas nada é fácil em se tratando de luto por suicídio. O estudo demandou energia e dedicação, alicerçado no propósito único de compreender os modos de acolhimento do sofrimento advindo do suicídio para ofertar cuidado de forma integrativa.

É meu desejo e convite para que mais contribuições brasileiras, em forma de pesquisas, livros e artigos, possam ser publicadas. Nesse sentido, peço para que o que escrevi neste livro não seja visto como definitivo ou conclusivo. As considerações aqui expostas deverão ser constantemente atualizadas e ressignificadas. Não desejo, assim, que os principais cuidados e intervenções sejam generalizados como as únicas alternativas a dispensar aos enlutados por suicídios. Pelo contrário. Proponho que, em vez de "engessar" as modalidades de cuidados e intervenções aqui apontadas, mais estudos sejam ampliados e inovados. Em se tratando de sofrimento humano, nada deve ser visto como passível de generalização, pois cada pessoa sentirá de acordo com sua história, vivência e capacidade de superação. Depende também do acolhimento familiar e profissional, bem como da presença de uma rede de apoio de amigos e da comunidade.

Se o sofrimento existencial pertence ao humano, também é dele o acolhimento. No que se refere ao conhecimento sobre o sofrimento existencial, é preciso sempre suspender os preconceitos, julgamentos e o *a priori* científico. As possibilidades de compreender o luto daqueles que viveram o suicídio de pessoas queridas são inesgotáveis e a expansão dos estudos brasileiros na área da posvenção e prevenção é necessária.

A linguagem da empatia e dos cuidados permite que a concepção acerca do suicídio seja tratada de forma mais humana e passível de modificação por meio da crença de que é possível resgatar a esperança. Não busquei neste livro apenas elencar as necessidades e principais dificuldades desse público, mas também dar espaço àquele que poderia desistir da própria existência em virtude da desistência da vida de outrem. Propus a reflexão, portanto, sobre o que faz uma pessoa que se sente impossibilitada de ter o controle para modificar o suicídio de quem amava e tem de deparar com a ausência. Ausência que invadiu abrupta e dolorosamente. Visita inesperada e muito provocada pelo suicídio.

Poderia me calar pela dor...

Poderia aceitar que a desesperança me invadisse e tomasse conta de minha alma de pesquisadora e psicoterapeuta.

Poderia me abster e encerrar a militância para que programas de prevenção ao suicídio e de posvenção façam parte das metas e prioridades da saúde brasileira.

Felizmente, não me calei, nem desisti. Também não esmoreci e persisto lutando para que o Brasil tenha um olhar mais cuidadoso para aqueles que não desejam mais estar vivos e para aqueles que ficam. Imaginei diversas ações que comungam em um único objetivo: a criação de espaços para legitimar a dor e o sofrimento existencial e despertar interesse das políticas públicas.

Encerro este estudo com um convite para que sejamos agentes de mudanças em relação à prevenção do suicídio e à posvenção, agregando esforços para o acolhimento do sofrimento humano. Finalizo fazendo das palavras de Rilke (2002, p. 66) as minhas:

> Apenas é necessário que vocês aprendam a crer, é preciso que se tornem piedosos em um sentido novo. Os anseios precisam estar acima de vocês, onde quer que se encontrem. Imprescindível é que os agarrem com ambas as mãos e os exponham ao sol, onde é maior a sua bem-aventurança; porque estes anseios precisam recuperar a saúde.

Referências

ALVES, R. "As mil e uma noites". *As melhores crônicas de Rubem Alves*. Campinas: Papirus, 2012.

_____. "Comemorar, recordar". *O Deus que conheço*. Campinas: Verus, 2013.

ANDRIESSEN, K. "How to increase suicide survivor support? Experiences from the national survivor programme in Flanders-Belgium". *National suicide survivor programme developed by the Flemish Working Group on Suicide Survivors in Belgium*, 2004. Disponível em: <https://www.iasp.info/pdf/postvention/andriessen_how_to_increase_survivor_support.pdf>. Acesso em: 7 nov. 2015.

ARENDT, H. *A condição humana*. Rio de Janeiro: Forense, 2002.

ASSOCIAÇÃO BRASILEIRA DE PSIQUIATRIA: Comissão de Estudos e Prevenção de Suicídio. "Suicídio: informando para prevenir". Brasília, set. 2014, p. 1-52.

AUGRAS, M. *O ser da compreensão: fenomenologia da situação de psicodiagnóstico*. Petrópolis: Vozes, 1986.

BAER, U. (org.). *Cartas do poeta sobre a vida: a sabedoria de Rilke*. Trad. Milton Camargo Mota. São Paulo: Martins, 2007.

BERTOLOTE, J. M. *Suicídio e sua prevenção*. São Paulo: Unesp, 2012.

BOSS, M. *Angústia, culpa e libertação: ensaios de psicanálise existencial*. 4. ed. São Paulo: Duas Cidades, 1988.

BOTEGA, N. J. *Crise suicida: avaliação e manejo*. Porto Alegre: Artmed, 2015.

BRASIL. Lei n. 13.819, de 26 de abril de 2019. Institui a Política Nacional de Prevenção da Automutilação e do Suicídio, a ser implementada pela União, em cooperação com os Estados, o Distrito Federal e os Municípios; e altera a Lei nº 9.656, de 3 de junho de 1998. Brasília (DF), 2019.

CAIN, A. C. "Children of suicide: the telling and the knowing". In: FLEXHAUG, M.; YAZGANOGLU, E. "Alberta takes action on suicide: best and promising practices in suicide bereavement support services – A review of the literature". *Prevention, Alberta Health Services – Alberta Mental Health Board Suicide*. Canadá: Alberta Health Services, 2008.

CARDELLA, B. H. P. "Ajustamento criativo e hierarquia de valores ou necessidades". In: FRAZÃO, L. M.; FUKUMITSU, K. O. *Gestalt-terapia: conceitos fundamentais*. São Paulo: Summus, 2014, p. 104-30.

CASSORLA, R. M. S. *Do suicídio: estudos brasileiros*. Campinas: Papirus, 1991a.

_____. "O tempo, a morte e as reações de aniversário". *Do suicídio: estudos brasileiros*, 1991b, p. 107-16.

_____. *Suicídio – Fatores inconscientes e aspectos socioculturais: uma introdução*. São Paulo: Blucher, 2017.

CASSORLA, R. M. S.; SMEKE, E. L. M. "Autodestruição humana". *Cad. Saúde Pública*, v. 10, supl. 1, Rio de Janeiro, 1994, p. 61-73.

CLARK, S. *Depois do suicídio: apoio às pessoas em luto*. Trad. Marcello Borges. São Paulo: Gaia, 2007.

COBAIN, B.; LARCH, J. *Dying to be free: a healing guide for families after a suicide*. Minnesota: Hazelden Foundation, 2006.

DICIONÁRIO ESCOLAR LÍNGUA PORTUGUESA MICHAELIS. São Paulo: Melhoramentos, 2008.

ESCÓSSIA, F. da. "Do efeito Werther ao efeito Papageno: um roteiro de leitura sobre o suicídio e o papel da mídia". *GEPeSP*, 17 jul. 2018. Disponível em: <https://gepesp.org/2018/07/do-efeito-werther-ao-efeito-papageno-um-roteiro-de-leitura-sobre-o-suicidio-e-o-papel-da-midia/>. Acesso em: 28 jan. 2019.

FINE, C. *Sem tempo de dizer adeus: como sobreviver ao suicídio de uma pessoa querida*. São Paulo: WMF Martins Fontes, 2018.

FLEXHAUG, M.; YAZGANOGLU, E. "Alberta takes action on suicide: best and promising practices in suicide bereavement support services – A review of the literature". *Prevention, Alberta Health Services – Alberta Mental Health Board Suicide*. Canadá: Alberta Health Services, 2008.

FOX, J. Z.; ROLDAN, M. *Voices of strength: sons and daughters of suicide speak out*. Nova Jersey: New Horizon Press, 2009.

FUKUMITSU, K. O. "Morte e processo de luto: lições para o recomeço da vida". In: FUKUMITSU, K. O.; ODDONE: H. R. B. *Morte, suicídio e luto: estudos gestálticos*. São Paulo: Livro Pleno, 2008.

_____. "Xiquexique nasce em telhado: reflexões sobre diferença, indiferença e indignação". *Revista de Gestalt*, v. 17, São Paulo, 2012, p. 69-71.

_____. *O processo de luto do filho da pessoa que cometeu suicídio*. Tese (doutorado em Psicologia), Instituto de Psicologia, Universidade de São Paulo, São Paulo, 2013a.

_____. *Suicídio e luto: histórias de filhos sobreviventes*. São Paulo: Digital Publish e Print, 2013b.

_____. "A busca de sentido no processo de luto: escuta Zé Alguém". *Revista de Gestalt*, v. 19, 2014, p. 59-61.

_____. *A vida não é do jeito que a gente quer*. São Paulo: Digital Publish e Print, 2015.

_____. "A prevenção do suicídio deve ser prática diária". *Jornal da USP* [on-line], 3 set. 2018a. Disponível em: <https://jornal.usp.br/artigos/a-prevencao-do-suicidio-deve-ser-pratica-diaria/>. Acesso em: 24 mar. 2019.

_____. "Suicídio: do desalojamento do ser ao desertor de si mesmo". *Revista USP*, v. 119, nov. 2018b. Disponível em: <https://jornal.usp.br/revistausp/revista-usp-119-textos-7-suicidio-do-desalojamento-do-ser-ao-desertor-de-si-mesmo/>. Acesso em: 24 mar. 2019.

FUKUMITSU, K. O. (org.). *Vida, morte e luto. Atualidades brasileiras*. São Paulo: Summus, 2018, p. 182-92.

FUKUMITSU, K. O.; KOVÁCS, M. J. "O luto por suicídios: uma tarefa da posvenção". *Revista Brasileira de Psicologia*, v. 2, n. 2, Bahia, jul.-dez. 2015, p. 41-47.

_____. "Especificidades sobre processo de luto frente ao suicídio". *Revista Psico*, v. 47, n. 1, Porto Alegre, 2016, p. 3-12.

FUKUMITSU, K. O.; ODDONE, H. R. *Morte, suicídio e luto: estudos gestálticos*. Campinas: Livro Pleno, 2008.

FUKUMITSU, K. O. et al. "Suicídio: uma análise da produção científica brasileira de 2004 a 2013". *Revista Brasileira de Psicologia*, v. 2, n. 1, 2015, p. 5-14.

GOETHE, J. W. V. [1774]. *Os sofrimentos do jovem Werther*. Porto Alegre: L&PM, 2004.

GOUVÊA, T. V. de S. "Quando a morte chega em casa: o luto e a saudade". In: FUKUMITSU, K. O. (org.). Vida, *morte e luto – Atualidades brasileiras*. São Paulo: Summus, 2018, p. 182-92.

HOUAISS, A. *Minidicionário Houaiss da língua portuguesa*. Rio de Janeiro: Objetiva, 2010.

JAMISON, K. R. *Quando a noite cai: entendendo a depressão e o suicídio*. 2. ed. Rio de Janeiro: Gryphus, 2010.

JORDAN, J. R.; MCINTOSH, J. L. *Grief after suicide: understanding the consequences and caring for the survivors*. Nova York: Taylor & Francis Group, 2011.

KOVÁCS, M. J. *Educação para a morte: temas e reflexões*. São Paulo: Casa do Psicólogo, 2003.

KRÜGER, L. L.; WERLANG, B. S. G. "A dinâmica familiar no contexto da crise suicida". *Psico-USF*, v. 15, n. 1, jan.-abr. 2010, p. 59-70.

LIDBECK, B. *The gift of second – Healing from the impact of suicide*. Grass Valley: Gift Pub, 2016.

LIMA, P. "Psiquiatras americanos dizem que se luto durar mais de duas semanas é depressão". Portal Uai, 25 maio 2013. Disponível em: <https://www.

uai.com.br/app/noticia/saude/2013/05/25/noticias-saude,194514/psiquiatras-americanos-dizem-que-se-luto-durar-mais-de-duas-semanas-e.shtml>. Acesso em: 8 maio 2019.

MAINE SUICIDE PREVENTION PROGRAM. *Maine people living safe, healthy, and productive lives*. Department of Health and Human Services. 2012. Disponível em: <http://www.maine.gov/suicide/parents/support.htm>.

MAZORRA, L.; FRANCO, M. H. P.; TINOCO, V. "Fatores de risco para luto complicado na população brasileira". In: FRANCO, M. H. P. (org.). *Estudos avançados sobre o luto*. Campinas: Livro Pleno, 2002.

MENNINGER, K. *Eros e Tânatos: o homem contra si próprio*. São Paulo: Ibrasa, 1965.

MINISTÉRIO DA SAÚDE. Ministério da Saúde lança agenda estratégica de prevenção do suicídio. 2017. Disponível em: <http://portalarquivos.saude.gov.br/images/pdf/2017/setembro/21/Coletiva-suicidio-21-09.pdf>. Acesso em: 17 maio 2019.

MINISTÉRIO DA MULHER, DA FAMÍLIA E DOS DIREITO HUMANOS. *O suicídio e a automutilação tratados sob a perspectiva da família e do sentido da vida*. Brasília: MMFDH, 2019.

MOUSTAKAS, C. *Phenomenological research methods*. Thousand Oaks: Sage Publications, 1994.

NATIONAL ACTION ALLIANCE FOR SUICIDE PREVENTION. "Responding to grief, trauma, and distress after a suicide: U. S. National Guidelines". Washington: Naasp, 2015. Disponível em: <https://theactionalliance.org/sites/default/files/inline-files/NationalGuidelines.pdf>. Acesso em: 21 mar. 2019.

ORGANIZAÇÃO DAS NAÇÕES UNIDAS. "OMS: quase 800 mil pessoas se suicidam por ano". 2018. Disponível em: <https://nacoesunidas.org/oms--quase-800-mil-pessoas-se-suicidam-por-ano/>. Acesso em: 6 maio 2019.

ORGANIZAÇÃO MUNDIAL DA SAÚDE. "Prevenção do suicídio: um manual para profissionais da saúde em atenção primária". Genebra: OMS, 2000. Disponível em: <https://www.who.int/mental_health/prevention/suicide/en/suicideprev_phc_port.pdf>. Acesso em: 21 mar. 2019.

_____. "Preventing suicide: how to start a survivors' group". Department of Mental Health and Substance Abuse, 2008. Disponível em: <https://www.who.int/mental_health/prevention/suicide/resource_survivors.pdf>. Acesso em: 21 de mar. 2019.

_____. *Preventing suicide: a resource for media professionals*. Genebra: Department of Mental Health and Substance Abuse, 2014.

PARKES, C. M. *Luto*. São Paulo: Summus, 1998.

PERLS, F. S. *A abordagem gestáltica e testemunha ocular*. Rio de Janeiro: LTC, 1988.

PERLS, F. S.; HEFFERLINE, R.; GOODMAN, P. *Gestalt-terapia*. São Paulo: Summus, 1997.
RILKE, R. M. *O diário de Florença*. Rio de Janeiro: Nova Alexandria, 2002.
_____. *Cartas do poeta sobre a vida: a sabedoria de Rilke*. Org. Ulrich Baer. Trad. Milton Camargo Mota. São Paulo: Martins Fontes, 2007.
ROBINSON, R. *Survivors of suicide*. Franklin Lakes: New Pages Books, 2001.
SCHILLINGS, A. "Concepção de neurose em Gestalt-terapia". In: FRAZÃO, L. M.; FUKUMITSU, K. O. *Gestalt-terapia: conceitos fundamentais*. São Paulo: Summus, 2014, p. 193-215.
SECRETARIA MUNICIPAL DA SAÚDE. Sistema de Informações sobre Mortalidade (SIM). Governo do estado e Secretaria da saúde. Disponível em: <http://www.saude.ba.gov.br/suvisa/vigilancia-epidemiologica/sistema-de-informacoes-sobre-mortalidade-sim/>. Acesso em: 17 maio 2019.
SHNEIDMAN, E. S. "Foreword". In: CAIN, A. C. (org.). *Survivors of suicide*. Springfield: Charles C. Thomas, 1972, p. ix-xi.
_____. *Deaths of man*. Nova York: Quadrangle Books, 1973.
_____. *Definition of suicide*. Michigan: Wiley, 1985.
_____. *Suicide as psychache: a clinical approach to self-destructive behavior*. Nova Jersey: Jason Aronson, 1993.
_____. *The suicidal mind*. Oxford: Oxford University Press, 1996.
_____. *Comprehending suicide: landmarks in 20th century suicidology*. Washington: American Psychological Association, 2001.
_____. [1971]. *A commonsense book of death: reflections at ninety of a lifelong thanatologist*. Nova York: Rowman & Littlefield, 2008.
SHUNDÔ AOYAMA, R. *A coisa mais preciosa da vida*. São Paulo: Palas Athena, 2013.
SMITH, T. *The unique grief of suicide: questions & hope*. Bloomington: iUniverse, 2013.
SOLOMON, A. *O demônio do meio-dia: uma anatomia da depressão*. São Paulo: Companhia das Letras, 2014.
STILLION, J. M. "Survivors of suicide". In: HOSPICE FOUNDATION OF AMERICA. *Living with grief after sudden loss*. Washington: Taylor & Francis, 1996.
TAVARES, G. R. "Conectar enlutados: do degradar ao despertar e prosseguir". In: FUKUMITSU, K. O. (org.) *Vida, morte e luto – Atualidades brasileiras*. São Paulo: Summus, 2018, p. 232-42.
TOBIN, S. A. "Dizer adeus". In: STEVENS, J. O. *Isto é Gestalt*. São Paulo: Summus, 1977, p. 161.
TURGEON, E. *Depois do azul*. Trad. Glenda Verônica Donaldo e Silvana Vieira da Silva. [e-book]. São Paulo: Plataforma21, 2017.

Anexo A
Disciplina para pós-graduação –
Universidade de São Paulo

DISCIPLINA PSA5921-1
SUICÍDIO: PREVENÇÃO E LUTO
Área de concentração: 47131
Criação: 26/11/2014
Ativação: 26/11/2014
Número de créditos: 8

CARGA HORÁRIA:

Teórica (por semana)	Prática (por semana)	Estudos (por semana)	Duração	Total
3 horas	4 horas	3 horas	12 semanas	120 horas

DOCENTES RESPONSÁVEIS
Karina Okajima Fukumitsu e Maria Julia Kovács

OBJETIVOS
Refletir sobre o fenômeno do suicídio, o comportamento suicida; o manejo do suicídio, a prevenção e o luto pelo suicídio. Sensibilizar-se para a compreensão dos comportamentos autodestrutivos e suas implicações. Conhecer possibilidades de ação psicológica em relação a pessoas que apresentam comportamento suicida e em luto pela morte por suicídio.

JUSTIFICATIVA

Considerado pela OMS (2014) um problema de saúde pública, o suicídio é um fenômeno multifatorial que precisa ser discutido tanto nas instituições escolares quanto nas de saúde. Tabu que necessita de reflexão constante, a morte autoinfligida é um assunto de difícil compreensão e manejo. Serão discutidas as especificidades do luto por suicídio e formas de intervenção.

CONTEÚDO

1. suicídios: questões históricas e culturais dos suicídios;
2. mortes interditas e escancaradas e os suicídios;
3. suicídios: modalidades e características;
4. fatores de risco e sinais de alerta;
5. a linguagem do suicídio;
6. os processos autodestrutivos e o suicídio;
7. trabalho do psicólogo com pessoas com comportamento suicida – comportamentos autodestrutivos, tentativa de suicídio e suicídio;
8. suicídio e luto;
9. trabalho com familiares enlutados por suicídio;
10. suicídio e fases do desenvolvimento: infância, adolescência, fase adulta e envelhecimento;
11. suicídio e bioética.

FORMA DE AVALIAÇÃO

Participação nas diversas atividades didáticas (aulas expositivas, discussões em pequenos grupos, exibição de vídeos didáticos e filmes sobre os temas mortes interdita e escancarada e o suicídio) e trabalho de conclusão de curso, podendo ser realizada uma articulação com o projeto de mestrado ou doutorado.

BIBLIOGRAFIA BÁSICA

ALVAREZ, A. *O deus selvagem: um estudo do suicídio*. São Paulo: Companhia das Letras, 1999.

Botega, N. J. *Crise suicida: avaliação e manejo*. Porto Alegre: Artmed, 2015.
Bertolote, J. M. *Suicídio e sua prevenção*. São Paulo: Unesp, 2012.
Cassorla, R. M. S. *Suicídio: estudos brasileiros*. Campinas: Papirus, 1991.
Franco, M. H. P. (org.) *Formação e rompimento de vínculos: o dilema das perdas na atualidade*. São Paulo: Summus, 2010.
Fukumitsu, K. O. *Suicídio e Gestalt-terapia*. São Paulo: Digital Publish & Print, 2012.
_____. *Suicídio e luto: história de filhos sobreviventes*. São Paulo: Digital Publish & Print, 2013.
Jamison, K. R. *Quando a noite cai: entendendo a depressão e o suicídio*. 2. ed. Rio de Janeiro: Gryphus, 2010.
Kovács, M. J. *Morte e desenvolvimento humano*. São Paulo: Casa do Psicólogo, 1992.
_____. "Revisão crítica sobre conflitos éticos envolvidos na situação de suicídio". *Psicologia: teoria e prática*, v. 15, n. 3, 2013, p. 69-82.

BIBLIOGRAFIA COMPLEMENTAR

Dias, M. L. *Suicídio: testemunhos do adeus*. São Paulo: Brasiliense, 1991.
Hilmann, J. *Educação para a morte: temas e reflexões*. São Paulo: Casa do Psicólogo, 2003a.
_____. *Educação para a morte: desafio na formação de profissionais de saúde e educação*. São Paulo: Casa do Psicólogo, 2003b.
_____. *Suicídio e alma*. Rio de Janeiro: Vozes, 2009.
Shneidman, E. *Definition of suicide*. Nova York: John Wiley & Sons, 1985.
_____. *Suicide as psychache: a clinical approach to self-destructive behavior*. Nova Jersey: Jason Aronson, 1993.
Werlang, B. G.; Botega, N. J. et al. *Comportamento suicida*. Porto Alegre: Artmed, 2004.

Anexo B
Modelo de convite e divulgação

GRUPO DE APOIO AOS SOBREVIVENTES ENLUTADOS PELO SUICÍDIO

Se alguém que você amava se matou e você está em processo de luto, venha ao nosso grupo.

Dia XXXX [dia da semana], das [horário] às [horário], acontecerá o grupo de apoio aos enlutados pelo suicídio, mediado por [nome].
Objetivo: oferecer um lugar de pertencimento e construir uma rede de apoio entre pessoas em luto pelo suicídio de alguém amado ou que foram impactadas de alguma forma pelo suicídio de alguém. Salientamos que não se trata de grupo de terapia, embora os encontros possam ser terapêuticos.
Periodicidade: toda última [dia da semana] do mês.
Local dos encontros: [endereço].
Informações: [contatos].
Encontro: GRATUITO. Os interessados poderão comparecer sem necessidade de inscrição prévia.

Agradecemos antecipadamente se puder divulgar esta informação para quem necessita.

[Nome do facilitador ou da instituição]

www.gruposummus.com.br